李占东 主编

1955—1975

第二辑 消化系统疾病秘验方

全国中医献方类编

便秘 腹泻

学苑出版社

图书在版编目（CIP）数据

便秘、腹泻：1955—1975 全国中医献方类编 / 李占东主
编. 一北京：学苑出版社，2019.7
ISBN 978-7-5077-5745-3

Ⅰ.①便… Ⅱ.①李… Ⅲ.①便秘-验方-汇编②腹泻-
验方-汇编 Ⅳ.①R289.51

中国版本图书馆 CIP 数据核字（2019）第 126104 号

责任编辑：付国英
出版发行：学苑出版社
社　　　址：北京市丰台区南方庄 2 号院 1 号楼
邮政编码：100079
网　　　址：www.book001.com
电子信箱：xueyuanpress@163.com
电　　　话：010-67603091（总编室）、010-67601101（销售部）
经　　　销：新华书店
印　刷　厂：北京市京宇印刷厂
开本尺寸：880×1230　1/32
印　　　张：5.5
字　　　数：165 千字
版　　　次：2019 年 7 月第 1 版
印　　　次：2019 年 7 月第 1 次印刷
定　　　价：39.00 元

1955—1975 全国中医献方类编

编委名单

主　编 李占东

副主编 郑　智　张　喆

编　委（按姓氏笔画排序）

王淑华　　王颖辉　　冯　烨

杨凤英　　杨金利　　杨殿啟

李　军　　岳红霞　　徐秀兰

董群弟　　傅开龙

前　言

随着人们对自身健康的愈加关注，了解、学习中医和中药已蔚然成风。尤其是那些经受住了临床验证而流传沿用至今的单方、验方、秘方，因其便于使用，能花小钱治大病，而深受读者、尤其是非医药专业的普通大众的喜爱。

一直以来，中医医家和学者均有将家传或收集的单方、验方、秘方刊刻出版的传统。据统计，历代方书中占绝大多数的都是单方、验方和秘方类，充分说明了这一类药方有确切的疗效和长久的生命力。

众所周知，受传统思想影响，许多中医都抱着"有子传子，无子传贤；无子无贤，抱卷长眠"的思想，验方秘方概不轻易外传。但在 20 世纪 50 到 70 年代，在政府的主导和动员下，搞过多次颇有成效的全国献方运动，许多老中医不仅公开交流了他们历年积累的医学经验，还纷纷献出了自己压箱底的治病药方。

如，四川省郫县 70 多岁的老中医钟载阳献出祖传治疗腹水的秘方，河北承德民间医生盛子章献出治疗梅毒的秘方，四川省江津市中医邱文正献出"跳骨丹"方，江苏省南通中医院的陈照献出治瘰疬方，河北省石家庄市中医献出治疗乙脑的秘方，江苏省南通季德胜献出季家六代祖传的蛇虫毒秘方，贵州省挖掘出著名的卢老太太治疗慢性肾炎的秘方，江苏省第二康复医院杨雨辰医师献出家传三代的验方四册，等等。

这些献方均由各省组织专家进行审核编纂，保留有确切疗效的，剔除有毒有害的，最终集结成书。遗憾的是，这些书很多后来一直没有再版，市场上也鲜有流传，导致昔日瑰宝被尘封多年。

为了使这一时期的珍贵药方不被丢弃泯灭，我们多方搜集1955—1975年间编纂的献方共96册。因为当时的献方运动是按照地区来开展进行，所以这些书也都是按照地区来编的，如河北省验方，山西省验方等。这样以地域为纲的编法，不便于现代人的阅读查用。所以，我们又把书中的献方顺序全部打乱，并按照常见疾病如胃病、哮喘等，重新编排成册，以更切合当今读者需求。

本着"有则多，无则少"的原则，本次整理出的这套丛书分为十辑，共39本。第一辑：呼吸系统常见疾病，共三本。第二辑：消化系统常见疾病，共六本。第三辑：泌尿系统常见疾病，共两本。第四辑：妇科常见病，共7本。第五辑：儿科常见病，共三本。第六辑：心脑血管常见疾病，共两本。第七辑：内分泌系统常见疾病，共两本。第八辑，其他常见病，共六本。第九辑：外科骨伤病，共三本。第十辑：五官科疾病，共四本。统一称为《1955—1975全国中医献方类编》。

与市场上流行的很多药方出处不明也不知是否有效的方书不同，本套丛书最大特色就是献方的真实性，以及疗效的确切性。

之所以能这么肯定，还要从那场轰轰烈烈的全国献方运动说起。毫无疑问，那是一次全国范围内自上而下，深受当时政府重视的的中医运动。

1941年9月，陕甘宁边区国医研究会召开第二次代表会议，与会中医献出治疗夜盲症、腹痛、心痛、花柳等病的祖传秘方十余种，这是中国共产党领导的中医工作中第一次公开献方，意在打破传统中医的保守风气，使验方、秘方能广泛传播，为民所用，并借此提高中医政治地位。

此后，边区组织各地召开医药研究会和医药座谈会，发现了很多模范医生，也公开了很多秘方。

1944年，既是中医业者，又素为毛泽东所推重的陕甘宁边区政府副主席李鼎铭再次号召中医者公开各自的秘方。

1955年3月召开的全国卫生科学研究委员会第一届第四次会议强调："……对中医中药知识和中医临床经验进行整理和研究，搜集和整理中医中药书籍（包括民间验方、单方），使它提高到现代的科学水平，是我们医学科学研究工作者的光荣任务。"从而明确指出要对献方进行整理研究并集结出版，全国各地均积极响应号召。

较早开展此项工作的是江苏省徐州市卫生局。1954年10月，徐州市卫生局聘请了9名经验丰富的中医对该地区所献验方进行甄审，并将这些验方分为三类：第一类是用于治疗常见病，且临床已证实有效；第二类是用于治疗常见病，临床上认为使用有效而尚未经科学证实者；第三类是治少见病或有离奇药，临床疗效不显著者。经过层层筛选，最后，仅从第一、二类验方中选出了18个确有实效的进行推广。

同样的，为确证献方疗效，杭州市卫生局组织中西医生进行共同讨论和分析；南通市则召开"中医验方试用座谈会"，由中医师介绍验方试用情况并进行讨论。

虽然全国各地对验方进行筛选的具体做法不尽相同，但都是稳妥而令人信服的。

1955年，江苏、福建两省出版了中医验方集。1956年，山西、江苏、河北、辽宁、黑龙江、福建6省相继出版了中医验方集；1957年，云南、四川、河南、广东、山东、陕西6省及西安市出版了中医验方集，河北、山西、黑龙江等省则出版了验方续集；1958年，广西、吉林、安徽、贵州、青海等省和重庆市、武汉市也组织出版了验方集，江苏、河南两省则出版了验方续集。

这些验方集出版后，都深受读者好评，一版再版。

1958年10月11日，毛泽东主席指出："中国医药学是一个伟大的宝库，应当努力发掘，加以提高。"于是，采集单方、验方、秘方之举由面向中医从业者迅速扩大为全国范围内的群众运动。可以说，此时的献方运动已经带有了强烈的政治色彩，各地"先后编出了数以百计的中医验方集"，献方数量之庞大令人震撼，但内容良莠不齐的情况也开始出现。

值得一提的是，由浙江中医研究所实验确证"蝌蚪避孕单方"无效的报道于1958年4月发表于《人民日报》，该报还在《编后》中告诫："民间单方在经过科学分析、实验和研究鉴定后再进行推广，才能对人民健康有所保证！"

同年11月，《人民日报》社论要求，"必须组织人力把这些民间药方分门别类地加以整理，并进行研究和鉴定"。说明当时已注意到，不经过细致的研究整理和验证就大事推广，是不妥当的。必须本着认真负责的态度，进行去粗取精和去伪存真的工作。

之后很长的时间里，全国各地整理出版的献方集基本遵循此原则，对药方的可靠性和有效性进行把关，不再一味追求多和全。如江西省中医药研究所整理出版的《锦方实验录》仅"精选了附有治验的255方"。

单方、验方、秘方既然多年来不断传承并在民间得以运用，必然有其独特的治疗价值，我们理应重视并将其传承推广下去。所以本套丛书按照常见疾病对献方进行分类归纳，相较当时对药方按照地域划分的方式，明显现在的编排更方便读者查找使用。

本着对献方者的尊重，方中的计量单位仍保留原样（多为钱、两），不予以修改。

中医"法可定，方无穷"，尽信方不如无方，故读者在查询使用时尽量能咨询相关专家，辨证论治与专病专方相结合。当然在本套丛书的编纂过程中，我们将含有毒性药物、国家现已明确规定不能使用药物的药方，以及带有明显迷信色彩的药方均一一进行剔除，希望能尽量保证本套书中献方的安全性和有效性，也希望这些目前看来仍不为大众熟知的单方、验方、秘方能早日为人民健康作出应有的贡献。

本套丛书从开始四处搜集资料到终于成书面世，历时近十年！原始资料的搜集、翻拍，对大量资料内容的进一步甄别、整理，每一册书中所收录验方的删选、归类，药物剂量的逐一核实，都花费了大量的时间和人力。在此，还要特别感谢提供资料的刘小军，不厌其烦整理内容、调整版式的郑杰，以及在成书过程中给予很多建议和方案的学苑出版社陈辉社长，感谢他们多年以来的支持和付出！

最后，希望这套颇具特色的验方系列丛书，能发挥出它们独特的治疗价值，并能得到应有的重视和广泛的传播！

学苑出版社　付国英

2019 年 6 月 11 日

目　　录

一、便秘

便秘是指大便次数减少，一般每周少于 3 次，多伴有排便困难、粪便干结。

中医认为，饮食不节，情绪失调，外感邪气都可能引起便秘，这些病因导致人体或气血耗竭，或津亏血燥，或实热瘀滞，或气滞血瘀，使大肠腑气不通而形成便秘。

【主治】　大便秘。

【方名】　通下方（单方）

【方药】　黍子

【制法】　油炸后，研成细面。

【用法】　开水冲服。

【出处】　阳原县（《十万金方》第三辑）。

【主治】　人便不通。

【方药】　蜂蜜一两

【制法】　煎至用手挫根状为度。

【用法】　将蜜根插入肛门内。

【出处】　枣强县赵振全（《十万金方》第十辑）。

【主治】 大便干不下。

【方药】 猪胆汁

【用法】 注射肛门内。

【出处】 枣强县刘景桥（《十万金方》第十辑）。

【主治】 大便不通。

【方药】 黑丑　白丑　槟榔 各三钱

【制法】 共为细末。

【用法】 白水送下。

【出处】 安国县王里善（《十万金方》第十辑）。

【主治】 大便密结不下，服之立效。

【方名】 民间良方

【方药】 生芝麻 半斤

【用法】 水煎服，顿服之立下。

【出处】 安国县崔殿魁（《十万金方》第十辑）。

【主治】 大便闭结。

【方药】 好糖醋 二两

【用法】 服之立通

【出处】 阳城延雨华（《山西省中医验方秘方汇集》第三辑）。

【主治】 慢性便秘。

【方药】 草决子（干炒）五两

【制法】 研面。

【用法】 分数十次，泡茶服。
【出处】 王心一（《中医采风录》第一集）。

【主治】 便秘。
【方药】 猪胆汁：猪胆一个
【制法】 切破取汁。
【用法】 灌肠。
【出处】 孝感专署（《湖北验方集锦》第一集）。

【主治】 习惯性便秘。
【方药】 柿饼五枚
【用法】 任意食用。
【出处】 孝感专署（《湖北验方集锦》第一集）。

【主治】 大便不通。
【方药】 松子仁四个
【制法】 去衣捣烂，加陈酒少许。
【用法】 以开水冲服。
【出处】 孝感专署（《湖北验方集锦》第一集）。

【主治】 便秘。
【方药】 萝卜菜一斤
【制法】 煎出热汤。
【用法】 倾入空马桶内，乘热坐上。
【出处】 孝感专署（《湖北验方集锦》第一集）。

【主治】　习惯性便秘。

【方药】　柏子仁一钱

【用法】　每日清晨一次吞服。

【提示】　柏子仁即侧柏子仁，治老人虚秘更佳。

【出处】　吴兴县凌拙甚（《浙江中医秘方验方集》第一辑）。

【主治】　大便秘结，腹痛，内有积滞。

【方药】　郁李仁肉三钱

【用法】　研细，开水送服。

【提示】　服此药一至二小时后，腹部蠕动，肠鸣阵痛，此积滞下降之象，片刻其痛自止。

【出处】　魏治平（《浙江中医秘方验方集》第一辑）。

【主治】　大便秘结（不宜内服苦寒之品者，宜之）。

【方药】　肥皂（即平时洗衣所用）

【制法】　将肥皂切下一小长条，如手指粗细，削成圆柱状栓形，头部亦用刀或其他东西刮圆，用开水蘸后，温纳入肛门内深部。

【用法】　肛门深部纳入用。

【出处】　尚义县陈文敏（《十万金方》第三辑）。

【主治】　大便不通。

【方药】　生姜一节（去皮）

【用法】　姜面涂油，插入肛门内。

【出处】　向尊荣（《中医采风录》第一集）。

【主治】　大便秘结。

【方药】　皂角—钱

【制法】　研为细末，用蜡做成锭子。

【用法】　纳入肛中。

【出处】　沽源县（《十万金方》第三辑）。

【主治】　大便不通，气血虚弱。

【方药】　陈咸菜—块

【制法】　以刀削如手指样。

【用法】　蘸香油塞大便。

【出处】　峰峰杜本元（《十万金方》第十辑）。

【主治】　大便秘结。

【方药】　皂角末少许

【用法】　炼蜜滴水成珠为度丸，作椎状，纳入肛内，粪便即下。

【提示】　此法系蜜导煎法，拟加猪胆汁少许，涂药外用之，效果更佳。

【出处】　阳城梁迪珠（《山西省中医验方秘方汇集》第三辑）。

【主治】　大便秘结。

【方药】　明矾四两

【用法】　清水十碗，蒸明矾，放在桶中，乘热熏两次。

【出处】　江山县毛时安（《浙江中医秘方验方集》第一辑）。

【主治】 便秘。

【方药】 肥皂—小条

【用法】 浸水灌入肛门。

【出处】 西宁铁路医院（《中医验方汇编》）。

【主治】 大便不通。

【方药】 川大黄三钱　荆芥二钱

【制法】 白水一碗半，半煎成一碗。

【用法】 温服，孕妇忌用。

【治验】 ①张北县孔令望40岁，六七日不能大便，腹内胀满，小便黄赤色，用此方一服，半小时后，大便遂通。②大崖湾妇女张氏年三十余，十余日不大便，服此药一服一小时后，大便即通。

【出处】 康保县李嵩峻（《十万金方》第三辑）。

【主治】 大便燥结。

【方药】 陈醋—斤　黄土—块

【制法】 将醋用火烧开，倒在罐中，放一块生黄土。

【用法】 命病人坐在罐子上即可。

【出处】 阳原县薛明永（《十万金方》第三辑）。

【主治】 大便虚寒生巢。

【方药】 石硫磺—钱　半夏—钱半

【用法】 共为末，白水送下。

【出处】 博野社医院傅定国（《祁州中医验方集锦》第一辑）。

【主治】 大便秘结不通。

【方药】 牙皂六分　细辛一分

【制法】 共研细末，蜜和作梃。

【用法】 纳入肛中。

【治验】 二小时内即通。

【出处】 沽源县（《十万金方》第三辑）。

【主治】 肚疼，大便干燥。

【方名】 大黄汤

【方药】 川大黄末四钱　蜂蜜一两

【制法】 搅拌成膏。

【用法】 开白水冲服。

【出处】 峰峰矿区宋珊（《十万金方》第十辑）。

【主治】 大便干燥。

【方名】 润肠散

【方药】 芒硝五钱　蜜四两

【制法】 以水溶化芒硝，与蜜调一处。

【用法】 临症的量据病情加减用之。

【出处】 易县马永祥（《十万金方》第十辑）。

【主治】 大便秘结。

【方药】 油子树肉皮一斤　石菖蒲半斤

【用法】 和捣烂，酒炒热，垫肛门。

【出处】 宁秀县中医何佩三（《湖南省中医单方验方》第一辑）。

【主治】 大便燥结，腹痛不安。

【方药】 牙皂末一钱　元寸少许

【制法】 共研细末。

【用法】 取药末少量，用吹粉器吹入肛门，少时即通。

【出处】 商专王俊奇（《河南省中医秘方验方汇编》续二）。

【主治】 热结液虚，大便秘结。

【方药】 蜜糖二两　皮硝三钱

【用法】 开水送下。

【出处】 长沙市中医唐镇湘（《湖南省中医单方验方》第二辑）。

【主治】 大便秘结不通。

【方药】 猪苦胆汁　蜂蜜适量

【用法】 上药调和一处，注入肛门少时，大便自下。

【提示】 此是古方"蜂蜜猪胆膏"，对大便结燥、排出困难者有效。倘再加入牙皂，则效力更宏。

【出处】 徐忠德（《成都市中医验方秘方集》第一集）。

【主治】 热结二便不通。

【方药】 田螺一个　食盐一钱

【制法】 同捣。

【用法】 贴脐上，热熨数次即愈。

【出处】 刘国平（《中医采风录》第一集）。

【主治】　习惯性便秘，便时有下坠感。

【方药】　芦荟二两　朱砂五钱

【制法及用法】　共研细末，以烧酒为丸，如绿豆大，每早、晚饭前服十丸，用温开水送下。每日二次，以大便通利为度。

【禁忌】　孕妇忌服。

【出处】　(《青海中医验方汇编》)。

【主治】　热邪阳毒，积滞大便不通。

【方药】　大黄四两　牙皂角四钱

【用法】　研末，水浸，蒸饼为丸，如绿豆大，每服十五丸，开水送下。

【禁忌】　孕妇忌服。

【出处】　西宁铁路医院辛虞生 (《中医验方汇编》)。

【主治】　大便不通。

【方药】　大黄二钱　杏仁二钱

【制法】　水煎。

【用法】　空心服。

【出处】　孝感专署 (《湖北验方集锦》第一集)。

【主治】　大便不通。

【方药】　大田螺七个　青盐三钱

【制法】　共捣烂，去壳。

【用法】　敷脐下丹田穴。

【出处】　孝感专署 (《湖北验方集锦》第一集)。

【主治】　大便不通。

【方药】　盐水少许　生姜切片

【用法】　盐水放入脐眼，上盖姜片，以火炙之。

【出处】　孝感专署（《湖北验方集锦》第一集）。

【主治】　大便困难。

【方药】　番泻叶二钱　白蜜六钱

【用法】　先将番泻叶煎成浓汁，滤去渣，调入白蜜，临睡前服。

【出处】　魏治平（《浙江中医秘方验方集》第一辑）。

【主治】　老人及产后大便闭结。

【方药】　芝麻二合　苏子三钱

【制法】　共研极细，拌水一碗半，搅匀去渣，用水煮粥。

【用法】　食粥自愈。

【出处】　新专孙柄寅（《河南省中医秘方验方汇编》续二）。

【主治】　大便秘结。

【方药】　牙皂末　葱汁

【制法】　上二味和匀做成像指头粗、长一寸的锭子，晒干用。

【用法】　用时药锭子上涂以油类，然后送入肛门内。

【出处】　新专王继祖（《河南省中医秘方验方汇编》续二）。

【主治】 大便不通。

【方药】 大葱白一根（去须） 食盐少许 磨油少许

【制法】 将葱头挖坑，将食盐研碎成面，填满葱茎，外抹磨油。

【用法】 插入肛门内 5~6 寸深即可。

【出处】 邯郸西王着村马进海（《十万金方》第十辑）。

【主治】 便秘。

【方药】 蜂糖 广才皂 青盐各等分

【制法】 将蜂糖炼有红花为度，两药均研细末为丸。

【用法】 送入肛门内。

【出处】 尚慧斌（《河南省中医秘方验方汇编》）。

【主治】 大便燥结不通。

【方药】 当归八钱 大熟地五钱 肉苁蓉五钱

【用法】 水煎服。

【出处】 临县张永兴（《山西省中医验方秘方汇集》第二辑）。

【主治】 大便燥结不通。

【方药】 当归一两 桃仁三钱 炙熟地二钱 生地三钱 郁李仁三钱 火麻仁四钱 肉苁蓉三钱 酒军一钱半 甘草一钱

【用法】 水煎服两剂。

【出处】 刘光胜（《山西省中医验方秘方汇集》第二辑）。

【主治】 小便或大便不通。

【方药】 葱白（连根）一根 生姜一片 盐小勺

【制法】 捣泥作饼。

【用法】 敷于脐上。

【出处】 孝感专署（《湖北验方集锦》第一集）。

【主治】 老人便秘结燥。

【方药】 猪胆一个 蜜少许 皂角少许

【用法】 为面，纳胆内灌入谷道。

【出处】 安国县建新村门诊部秦怀璞（《祁州中医验方集锦》第一辑）。

【主治】 便秘腹痛。

【方药】 川厚朴三钱 枳实三钱 大黄三钱

【用法】 水煎服。

【出处】 安国县甄家庄甄树芬（《祁州中医验方集锦》第一辑）。

【主治】 习惯性便秘。

【取穴】 天枢（双）、大肠俞（双）、足三里（双）。

【手法】 重刺激一分钟，不留针。

【治验】 ①邹某某，男，成人，因脑部负伤后右侧偏瘫，习惯性大便秘结，一周或半月排便一次，常引起腹痛，食欲减退。用药物治疗仅能一时通便，减轻症状。经改用针刺疗法，取以上穴位同时刺激，每日针刺一次，待排便好转时，改为隔日一次或二日针刺一次，一周后排便恢复如常。

②丁某某，一个月，出生后排便不畅，每隔数日排便一次，经常因腹胀而引起啼哭，食欲不振，治疗前未服任何泻剂药物。取上穴位，针刺三次，排便正常。

【出处】　江西省荣誉军人疗养院肖大刚（《锦方实验录》）。

【主治】　大便燥热结。

【方药】　大黄二钱　枳实三钱　厚朴三钱　芒硝三钱

【用法】　水煎服。

【出处】　博野社医院傅定国（《祁州中医验方集锦》第一辑）。

【主治】　阴虚血弱，大便秘结。

【方药】　熟地三两　元参二两　麻仁一钱半　升麻二钱　牛奶四两

【用法】　先将前四味药用水三盅，煎一盅再加牛奶四两，一次服完。

【出处】　阳原县马耀武（《十万金方》第三辑）。

【主治】　大便秘结症。

【方药】　白芍　枳实　姜朴　杏仁各五两　酒军十二两

【制法】　共为细末，蜜小丸。

【用法】　每服一钱，空心白水送下。

【出处】　张家口市薛和卿（《十万金方》第十辑）。

【主治】　大便气燥。

【方药】　人参一钱　广木香三钱　槟片三钱　沉香三钱　杏

仁三钱

　　【用法】　水煎服。

　　【出处】　博野社医院傅定国（《祁州中医验方集锦》第一辑）。

　　【主治】　大便血燥。

　　【方药】　芦荟一钱　朱砂二钱　杏仁三钱　当归三钱　桃仁三钱

　　【用法】　水煎服。

　　【出处】　博野社医院傅定国（《祁州中医验方集锦》第一辑）。

　　【主治】　气血虚弱便秘。

　　【方名】　五仁橘皮汤

　　【方药】　甜杏仁三钱　桃仁二钱　松子仁三钱　柏子仁三钱郁李仁三钱　广皮一钱半

　　【用法】　水煎服。

　　【出处】　保定市张景韩（《十万金方》第十辑）。

　　【主治】　习惯性便秘。

　　【方药】　麻子仁一两　杏仁一两　白芍二两　酒军八钱　川朴一两　枳实一两

　　【制法及用法】　共研细末，炼蜜为丸，如梧桐子大。每早饭前服十丸，每日一次，用开水送下，至大便通利为止。

　　【禁忌】　孕妇忌服。

　　【出处】　（《青海中医验方汇编》）。

【主治】 老年便秘。

【方药】 海松子三钱　火麻仁二钱　厚朴三钱　陈皮一钱　苡仁米五钱　熟地黄五钱

【制法】 水煎。

【用法】 温服，连服三剂即愈。

【出处】 孝感专署（《湖北验方集锦》第一集）。

【主治】 老年人便秘。

【方药】 肉苁蓉一钱　枳壳八分　当归一钱五分　牛膝一钱　泽泻一钱　胡麻三分

【用法】 煎服。

【提示】 老年人通便以宽肠润便为主，当归、苁蓉为君，枳壳、泽泻为臣，牛膝、胡麻为佐使，此方可常服之。

【出处】 开化县汪根槐（《浙江中医秘方验方集》第一辑）。

【主治】 肠结症。

【方药】 大黄一两　枳实五钱　厚朴五钱　番杏叶一钱　火麻仁一钱　蜂蜜五钱　肉桂五分

【制法】 煎剂。

【用法】 水煎服。

【出处】 阳原县李桂芬（《十万金方》第三辑）。

【主治】 因于热盛，大便密结不通。

【方名】 白八厘

【方药】 南星二钱　半夏二钱　石膏三钱　陈皮二钱　僵蚕

三钱　附子三钱　巴豆霜一钱

【制法】　共研细面。

【用法】　成年人每次服一分，小孩酌减，白开水送下。

【出处】　保定市崔秀峰（《十万金方》第十辑）。

【主治】　虚性大便秘结不通。

【方药】　熟地一两　元参一两　当归一两　川芎五钱　桃仁十粒　红花三分　川军一钱　火麻仁二钱　蜜二两

【用法】　水煎服。

【治验】　峰市矿区殷秀英之母，患大便不通，服此药一剂而通。

【出处】　峰峰李日峰（《十万金方》第十辑）。

【主治】　大便虚燥。

【方药】　人参一钱半　白术一钱半　广木香二钱　白茯苓二钱　当归二钱　白芍一钱半　川芎一钱半　生地二钱　川军一钱半　黄芪三钱　芒硝三钱

【用法】　水煎服。

【出处】　博野社医院傅定国（《祁州中医验方集锦》第一辑）。

【主治】　大便不通，腹胀如鼓。

【方药】　当归四钱　火麻仁三钱　乌药二钱　广皮二钱　甘草一钱　枳壳二钱炒　腹皮三钱　槟榔二钱　萝卜子三钱炒　广木香一钱五分　神曲三钱　大黄七钱　炒元明粉三钱　蜂蜜二两

【制法】　水煎，加入蜂蜜。

【用法】　内服。

【出处】　商专李华英（《河南省中医秘方验方汇编》续二）。

【主治】　大便秘结或干燥。

【方药】　归尾一两　羌活五钱　桃仁五钱　火麻仁一两　酒军一钱　秦艽四钱　防风四钱　皂角（煨）四钱

【用法】　共研细末，炼蜜为丸，每丸二钱半。每服一丸，日服三次，开水送下即效。

【出处】　山西省卫生厅刘崇德（《山西省中医验方秘方汇集》第三辑）。

【主治】　大便燥结，以致四五天不能大便。

【方药】　当归三钱　川芎二钱　生地一两　元参一两　杭白芍三钱　寸冬五钱　枳实二钱　酒军二钱半　黄芩三钱

【用法】　水煎服。

【出处】　安国县庞各庄火箭公社医院甄世英（《祁州中医验方集锦》第一辑）。

【主治】　大便内结不下或肠胃饱胀，服后可清肠胃、去瘀积。

【方药】　去积丸：广木香三钱　槟榔四钱　巴豆（去油）八钱　大黄四钱　防风四钱　桔梗四钱　陈皮三钱　白芍三钱

【制法】　各药研成细末混合，制成米大丸粒，以雄黄为丸衣。

【用法】　每次以冷开水吞服五粒至八粒，儿童服一粒至三粒，即下泻。如下泻不止，可服冷米汤半碗止泻。服药后半小时内，不能吃热东西或热汤，以免呕吐。

【出处】 梁炳全（《贵州民间方药集》增订本）。

【主治】 舒气活血，润肠通便。

【方名】 搜风顺气丸

【方药】 酒军四两　牛膝一两　菟丝子一两　天麻一两　山萸二两　麻仁四两　李仁四两　车前子一两　独活一两　山药一两　枳壳四两　榔片二两

【制法】 共为细末，炼蜜为丸，重二钱。

【用法】 每服一丸，日服一次，白水送下。

【出处】 龙关县李玺（《十万金方》第一辑）。

【主治】 中年妇人血虚，大便干燥。

【方药】 当归三钱　牛膝二钱　升麻一钱　苁蓉五钱　炙草二钱　山萸三钱　熟地三钱

【用法】 水煎服。

【出处】 深县（《十万金方》第十辑）。

附：大小便不通

【主治】 大小便不通。

【方名】 大小便不通偏方

【方药】 芥子面

【制法】 将上药用生酒调和。

【用法】　敷肚脐上。

【出处】　阳原县薛明永（《十万金方》第三辑）。

【主治】　大小便不通。

【方药】　猪牙皂三钱

【制法】　炒黑存性为末。

【用法】　用米汤水送服自通。

【出处】　新专宋试（《河南省中医秘方验方汇编》续二）。

【主治】　大小便不通。

【方药】　①小便不通：滑石六钱　大黄三钱　皂角三钱。

②大便不通：大黄六钱　滑石三钱　皂角三钱

【制法】　共为细末。

【用法】　内服，黄酒送下。

【出处】　武邑县石蕴山（《十万金方》第二辑）。

【主治】　血瘀气滞，心腹胀痛，二便不通。

【方药】　水蛭五钱石灰炒　川军二两　黑丑二两

【用法】　共为细末，每服三钱，元酒为引。

【禁忌】　孕妇忌服。

【提示】　此方药性泻下力猛，体虚气弱者酌情应用。

【出处】　农安县李连荣（《吉林省中医验方秘方汇编》第三辑）。

二、腹泻

腹泻是一种常见症状，俗称"拉肚子"，是指排便次数明显超过平日通常的频率，粪质稀薄，水分增加，或含未消化食物，或便中带有脓血、黏液，常伴有排便急迫感、肛门不适、失禁等症状。

通常按照病程长短，将腹泻分急性和慢性两大类。急性腹泻发病急剧，大多系感染引起；慢性腹泻指病程在两个月以上，或间歇期在2~4周内的复发性腹泻，其发病原因更为复杂，需要去医院就诊检查。

【主治】　泻痢不止。

【方药】　文蛤一两

【用法】　炒研细面，炼蜜为丸，三钱重。每日早晚各服一丸，红痢白酒，白痢黄酒，水泻米汤，空心送下。

【出处】　涿鹿县范文昇（《十万金方》第六辑）。

【主治】　脾胃不健，大便泄泻日久不愈。

【方名】　炒山药散

【方药】　怀山药炒黄

【用法】　研为细末，每服五钱至一两，视年龄大小，病情轻重加减用之。

【出处】　阜平县（《十万金方》第六辑）。

【主治】　寒性泄泻，腹痛日久不愈。
【方药】　大蒜六头
【制法】　将大蒜连皮火上煨熟。
【用法】　大人服一头，每日服三次，食前服小儿减半。
【出处】　易县刘世昌（《十万金方》第六辑）。

【主治】　水泻痢疾。
【方药】　牛胁条分量不拘
【制法】　烧成灰。
【用法】　成为每服三钱，小儿递减，白水送服。
【出处】　定县天宫寺乡（《十万金方》第六辑）。

【主治】　大肠泄。
【方药】　大个蒜头一个
【制法】　用火烧熟。
【用法】　分数次服下，不好再服。
【出处】　安国县王丙熙（《十万金方》第十二辑）。

【主治】　滑肠泻久而不愈。
【方名】　黑神散
【方药】　酸石榴一个
【制法】　煅烟尽，出火毒后研细末，分三剂。
【用法】　每服一剂时，再以榴皮一块煎汤送下，放白糖少许，一日三剂，都服完。

【出处】　唐山市吴晓峰（《十万金方》第十二辑）。

【主治】　大肠泄。

【方药】　用大蒜一大头

【用法】　大蒜用火烤熟，一顿服下，不拘时，不好再服。

【治验】　西北马王洛希肚泄一月有余，多方不效，用此方两次而愈。又王文科、王全喜等多人，均服此而愈。

【出处】　西北马王丙希（《祁州中医验方集锦》第一辑）。

【主治】　老年水泄不止。

【方药】　椿根皮四两

【用法】　水煎服。

【出处】　淤村门诊康金华（《祁州中医验方集锦》第一辑）。

【主治】　食积下痢。

【方药】　山楂肉五钱

【用法】　煎汤作三次，白糖调服。

【出处】　漳浦县城关虾妵益寿（《采风录》第一集）。

【主治】　腹泻（由食积而致的）。

【方药】　白曲

【用法】　炒焦并研为细末，用开水冲服，每次服两钱。

【出处】　莆田县林玉麟（《福建省中医验方》第三集）。

【主治】 久泻不止。

【方药】 独头大蒜一头

【用法】 火烧熟食有效。

【出处】 刘子泰（《山西省中医验方秘方汇集》第三辑）。

【主治】 泄泻。

【方药】 野马苋菜

【用法】 将上药晒干研末，加红糖少许，开水调服。

【出处】 李秋实（《崇仁县中医座谈录》第一辑）。

【主治】 腹痛水泻（日泻十数次）。

【方药】 皂角三钱

【制法】 烧煅存性，研成细末。

【用法】 一次开水吞服。

【出处】 杨济中（《贵州民间方药集》增订本）。

【主治】 脾虚水泻。

【方药】 枣炭二钱

【制法】 研成细末。

【用法】 开水吞服，连用二剂有效。

【出处】 张俊卿（《贵州民间方药集》增订本）。

【主治】 脾虚久泻不止。

【方药】 大蒜三头

【制法】 将蒜捣烂。

【用法】 涂敷脐心或足心，则泻即止。

【出处】 张专涿鹿县岑效仁（《十万金方》第三辑）。

【主治】 水泻。

【方名】 止泻散

【方药】 马莲子（即野生湿草状韭菜开茎花，俗名马莲）

【制法】 将马莲子炒熟为度，研成细末。

【用法】 成人每次服五分至一钱，五岁至十岁每次服三分至五分，五岁以内酌减。

【治验】 刘湘 13 岁患水泻，服此方一剂即愈，此方治愈多人不胜枚举。

【出处】 康保县刘太白（《十万金方》第三辑）。

【主治】 湿热泄泻症（虚泄）。

【方药】 生山药　茅术各等分

【制法】 以饭为丸。

【用法】 米汤送下。

【出处】 张家口市王筵卿（《十万金方》第十二辑）。

【主治】 脱肠大泻，或霍乱泻利，以及久泻之属虚者皆有奇效。

【方名】 益智仁散

【方药】 益智仁三钱

【制法】 炒黄为末。

【用法】 成人每日服二次，每次三钱，小儿酌减。

【出处】 平泉县蔡振华（《十万金方》第十二辑）。

【主治】 腹泻水样便。

【方药】 清明菜一把

【制法】 水煎。

【用法】 内服。

【出处】 杜孝荣（《中医采风录》第一集）。

【主治】 腹痛泻。

【方药】 良姜五钱

【制法】 磨冷沸水。

【用法】 内服。

【出处】 魏思远（《中医采风录》第一集）。

【主治】 年老阳衰，久泻不愈。

【方药】 生硫磺

【用法】 内服，每次二至三钱。

【出处】 西宁中医院张险涛（《中医验方汇编》）。

【主治】 吐泻。

【方药】 灶心土一块

【制法】 醋煅水煎。

【用法】 内服。

【出处】 黄陂县（《湖北验方集锦》第一集）。

【主治】 大便溏泻，脉数者。

【方药】 牡蛎（捣碎）一两五钱

【用法】 水煎服三次。

【出处】 安图县关云武（《吉林省中医验方秘方汇编》第三辑）。

【主治】 吐泄。

【方药】 葡萄叶

【用法】 男用八叶，女用七叶，烧存性，研末，白开水送下。

【治验】 本县李金台等多人服此方皆愈。

【出处】 安国固显张宝贤（《祁州中医验方集锦》第一辑）。

【主治】 水泻。

【方药】 黄瓜叶—把

【制法】 烧成灰。

【用法】 兑姜开水内服。

【出处】 马敏斋（《中医采风录》第一集）。

【主治】 水泻。

【方药】 水黄连（草药）适量

【制法】 水煎。

【用法】 内服。

【出处】 王吉书（《中医采风录》第一集）。

【主治】 水泻。

【方药】 龙须草

【制法】 洗净，病者自嚼细。

【用法】 冷开水吞下。

【出处】 卿联升（《中医采风录》第一集）。

【主治】 腹泻。

【方药】 高粱子（去壳）一合

【制法】 水煎。

【用法】 内服。

【出处】 杜缉熙（《中医采风录》第一集）。

【主治】 水泻。

【方药】 陈阴米一把

【制法】 炒黄，水煎。

【用法】 内服。

【出处】 孝感专署（《湖北验方集锦》第一集）。

【主治】 腹泻。

【方药】 川连半斤

【制法】 晒干为末，以蜜为丸。

【用法】 每次五分，每日三次。

【出处】 孝感专署（《湖北验方集锦》第一集）。

【主治】 水泻。

【方药】 大葱汁二钱　白糖二钱

【制法】 和匀。

【用法】 水送下。

【出处】 涿鹿县杨凤鸣（《十万金方》第二辑）。

【主治】 温热郁内，自利腥臭稀水日数十次，面色潮红，有亡阴之象者。

【方药】 煅牡蛎一两

【制法】 碾面水煎。

【用法】 内服。

【出处】 王心一（《中医采风录》第一集）。

【主治】 腹泻水泻。

【方药】 土炒白术一两　车前子五钱

【用法】 水煎服。

【出处】 阳原县民间单方（《十万金方》第二辑）。

【主治】 久泻不止，日夜无度。

【方药】 樗根白皮（蜜炒）二两　力参一两

【制法】 共为细末。

【用法】 每服二钱，早晚黄酒送服。

【出处】 平山赵王间（《十万金方》第二辑）。

【主治】 水泻。

【方药】 白术五钱　车前子（布包）一两

【制法】 水煎。

【用法】 内服。

【出处】 石庄市于振祥（《十万金方》第六辑）。

【主治】 黎明泻肚。

【方药】 五味子二两　净吴萸五钱

【用法】 同炒，研为细末。每天早晨空心服二钱，米汤送下。

【出处】 商都县史天宝（《十万金方》第六辑）。

【主治】 泄泻。

【方药】 大枣树皮一两　红白糖四两

【制法】 枣树皮灼炭，研面。

【用法】 加入糖，白水送下。

【出处】 定县刘希贤（《十万金方》第六辑）。

【主治】 久泻。

【方药】 生姜一两　红糖一两

【用法】 先煎生姜、后纳红糖，一日二次服。

【出处】 安国县崔翰屏（《十万金方》第十二辑）。

【主治】 下利不止水泄。

【方药】 禹粮石　赤石脂各二两

【用法】 水煎，分二次温服。

【出处】 定县宋占信（《十万金方》第十二辑）。

【主治】 食积所致腹泻以及五更泄泻。

【方药】 野油麻五钱至八钱　生姜一片

【用法】 水煎服。日服三次，连服一星期。

【出处】 莆田县陈演（《福建省中医验方》第三集）。

【主治】 久泻不止。

【方药】 黑山羊肝子—个　黑矾—两

【制法】 将羊肝用竹刀割开，黑矾撒在肝子内，瓦器内蒸两炷香时间。

【用法】 不分次数吃完即愈。

【提示】 上方黑矾量相当大，吃时应由小量吃起，渐次增加，吃后如感不适，即应减量。

【出处】 洛专郭同寅（《河南省中医秘方验方汇编》续一）。

【主治】 中寒，上吐下泻，脉沉，面苍白。

【方药】 麦麸五斤　食盐半斤

【制法】 用酒或醋拌麸盐，炒半小时，分装两个布袋内。

【用法】 将袋轮流熨腹上，数次即好转，随内服附子理中汤加减。

【出处】 洛专杨国君（《河南省中医秘方验方汇编》续一）。

【主治】 肠鸣水泻，小便短少。

【方药】 漂白水八钱　车前子二钱

【用法】 以水煎服。

【出处】 黔阳专署中医进修班（《湖南省中医单方验方》第一辑）。

【主治】 急性肚腹剧痛，上吐下泻，脉弦大或伏或细数模糊不一。

【方药】 鲜黄荆叶五钱　明矾（研末）五分

【用法】 将黄荆叶煎水，去渣候冷，调明矾末服。

【出处】 隆回县中医陈澍霖、张书田、彭福生（《湖南省中医单方验方》第二辑）。

【主治】 水泻、痢疾。

【方药】 大蒜二枚　白糖少许

【制法及用法】 大蒜在火灰内煨粑，蘸白糖同食。

【提示】 大蒜辛热，开胃健脾，辟秽解暑，解毒杀菌，并能促进胃肠停水吸收；白糖，味甘入脾，性平微凉，能清暑解渴。二味综合，用治水泻痢疾，简易有效。

【出处】 鲁文笙、邓桂芳、冷树云（《成都市中医验方秘方集》第一集）。

【主治】 大便泻水。

【方药】 白术一两　车前子一两

【制法及用法】 水煎服。

【提示】 车前子含黏液，能庇护肠黏膜使不受刺激，白术能助小肠吸收，二味合用，又有分清泌浊之作用，故用于大便泻水者有疗效。

【出处】 邓学林（《成都市中医验方秘方集》第一集）。

【主治】 上吐下泻。

【方药】 绿豆二十粒　胡椒二十粒

【用法】 将上二味研末，水煎服。如口渴甚者，可用新汲水（井水）调服。

【出处】 陈作新（《崇仁县中医座谈录》第一辑）。

【主治】 伤暑，腹满吐泻。

【方药】 鲜车前草四两　臭草四两

【用法】 将上药捣烂，浓煎温服，红糖为引。

【出处】 陈作新（《崇仁县中医座谈录》第一辑）。

【主治】 寒泄。

【方药】 砂仁　苍术各等分

【用法】 以上二味共研细末，每日服三次，每次服一钱，小儿减半。

【出处】 吴诚之（《崇仁县中医座谈录》第一辑）。

【主治】 水泻。

【方药】 炒白术一两　车前三钱

【用法】 水煎服。

【出处】 朱伯超（《大荔县中医验方采风录》）。

【主治】 腹痛，水泻不止。

【方药】 五倍子二钱　鸡蛋一个

【制法】 五倍子研成细末，与鸡蛋调匀，在火上炒熟。

【用法】 一次内服。

【出处】 杨济中（《贵州民间方药集》增订本）。

【主治】 泻痢腹痛。

【方药】 渊头鸡_{二钱} 过路黄_{一钱}

【制法】 各药研成细末混合。

【用法】 用淘米水吞服。

【出处】 张素珍（《贵州民间方药集》增订本）。

【主治】 凉寒腹泻。

【方药】 毛尖细茶叶_{二两} 红砖糖_{二两}

【制法】 先将茶叶炒黄，次取茅屋上的老竹子点火，将红砖糖烤烧至开始变焦，同时使糖汁滴入已炒黄的茶叶中，趁热和匀。

【用法】 每次取处理后之茶叶五钱，加水两小碗，煎汤内服。

【出处】 张兴臣（《贵州民间方药集》增订本）。

【主治】 脾肾虚寒，大便不禁，不时泄泻，腹痛怕寒等。

【方药】 人参 制附子_{各等分}

【制法】 共为细面，蜜丸（小丸）。

【用法】 每服一钱，一日两次，白水送下。

【出处】 张家口市薛和卿（《十万金方》第十二辑）。

【主治】 遗尿，大便稀。

【方名】 民间土方

【方药】 大枣_{数十枚} 铁黑豆_{一两}

【制法】 用水洗净，放在茶碗内，用砂锅炖熟。

【用法】　吃完喝汤。

【出处】　峰峰矿区宋珊（《十万金方》第十二辑）。

【主治】　泄肚子。

【方药】　车前子五钱　焦白术一两

【制法】　水煎服。

【出处】　峰峰县吴天锡（《十万金方》第十二辑）。

【主治】　暑湿溏泄。

【方药】　西瓜一个　大蒜一头

【用法】　先将西瓜挖一小孔，把蒜装入瓜内，放在锅内煮数沸，取出当茶喝。

【出处】　安国庞各庄医院刘卓宣（《祁州中医验方集锦》第一辑）。

【主治】　一切热性腹泻。

【方药】　大黄粉二分　糊米粉六钱

【用法】　先服大黄粉，继服糊米粉。

【出处】　魏思远（《中医采风录》第一集）。

【主治】　腹泻（水样便）。

【方药】　白术一两　车前五钱

【用法】　水煎服三次。

【出处】　昌图县孙桂芝（《吉林省中医验方秘方汇编》第三辑）。

【主治】 大便暑泻。

【方药】 滑石三钱　朱砂一钱

【用法】 水煎服。

【出处】 博野县医院傅定国大夫方（《祁州中医验方集锦》第一辑）。

【主治】 五更泄泻。

【方药】 鸡蛋一个　胡椒七粒

【制法】 将蛋头敲一小孔放入胡椒，密封烧熟。

【用法】 每天吃一个，连吃七个即愈。

【出处】 房寿生（《中医采风录》第一集）。

【主治】 水泻。

【方药】 白术一钱　车前子五钱

【制法】 水煎。

【用法】 内服。

【出处】 孝感专署（《湖北验方集锦》第一集）。

【主治】 泄泻。

【方药】 鲜芦根　地浆水各等分

【制法】 芦根煎汁，冲地浆水。

【用法】 每服一碗。

【出处】 孝感专署（《湖北验方集锦》第一集）。

【主治】 脾虚久泄。

【方药】 建莲肉一斤　蜂蜜适量

【制法】 炒研末，炼蜜为丸。

【用法】 每次用开水吞服一钱，每日三次。

【出处】 孝感专署（《湖北验方集锦》第一集）。

【主治】 水泻。

【方药】 干黄瓜叶　地瓜藤尖_{适量}

【制法】 地瓜藤尖水煎取汁，黄瓜叶研面。

【用法】 取瓜藤煎汁加入白糖送下瓜叶面。

【出处】 唐伯森（《中医采风录》第一集）。

【主治】 泻热呕吐。

【方药】 黄连_{三分}　苏叶_{二分}

【制法】 浓煎取汁。

【用法】 频频内服。

【出处】 梁既明（《中医采风录》第一集）。

【主治】 久泄不愈。

【方名】 永丹散

【方药】 章丹　冰片_{各等分}

【制法】 以上共为细末。

【用法】 将肚脐擦净，入药末一钱，外用暖脐膏（或其他膏药亦可）贴之即愈。

【出处】 枣强县施庆之（《十万金方》第十二辑）。

【主治】 食肉过多，积滞肠泄。

【方药】 茶枯饼（煅成炭存性）　肉骨头（煅成炭存性）各等分

【用法】　研末，开水吞服，每次一至二两。

【禁忌】　体弱滑泄者，忌服。

【提示】　此方也适应于痢疾，加入少许黄连末，效更佳。

【出处】　治湖工地中医（《湖南省中医单方验方》第一辑）。

【主治】　非脓血痢，腹痛甚剧，起立不便。

【症状】　因食生冷过度或寒邪侵入引起腹泻，每日六七次。

【方药】　柿饼二两　烧酒（不能饮酒者不用亦可）二两

【用法】　一边喝酒，一边嚼服柿饼。

【禁忌】　忌食生冷、猪腥；忌受阴寒。

【提示】　此方治好多人，并无副作用。柿饼为干敛之品，酒性辛温，柿饼与酒同服，经胃液氧化，则起收敛功能，相反，吃柿饼、饮冷水则能泻下。此方宜于气候寒冷地域，热带慎之。

【出处】　雁北区中医进修班薛成勋（《山西省中医验方秘方汇集》第三辑）。

【主治】　久泻不止。

【症状】　泄泻日久，百药不效。

【方药】　罂粟壳一个　乌梅十个　枣几十个

【用法】　水煎服。

【出处】　昔阳李熙甫（《山西省中医验方秘方汇集》第三辑）。

【主治】 呕吐腹泻。

【方药】 广藿香四两 公丁香一两 广滑石一两

【用法】 共研细末，开水送下。

【提示】 本方有和胃、止吐、利湿之功，对夏季腹泻之属于湿热者，用之有效。

【出处】 周铭新（《成都市中医验方秘方集》第一集）。

【主治】 水泻腹痛。

【方药】 山冬青二钱 大黄末二钱 红糖一两

【制法】 加水煎汤。

【用法】 内服。

【出处】 田明德（《贵州民间方药集》增订本）。

【主治】 久泄，常年拉稀屎。

【方名】 固肠煎饼

【方药】 陈柿饼半斤 高粱面一斤 棉油（未经火碱漫的）

【制法】 把陈柿饼和水捣成浆，混入高粱面内，加水搅成稀糊，用棉油擦镦子，摊成煎饼，当饭吃之。

【出处】 峰峰周棠（《十万金方》第十二辑）。

【主治】 胃寒，腹部胀满，腹泻。

【方药】 附子二钱 炮姜二钱 肉桂一钱

【制法】 共为细末。

【用法】 白开水冲服。

【出处】 峰峰矿区岗头乡高振民（《十万金方》第十二辑）。

【主治】 因寒泄泻，并见手足逆冷者。

【方药】 胡椒十四粒　生姜二钱　淡豆豉一钱

【制法】 水煎。

【用法】 内服。

【出处】 大冶县（《湖北验方集锦》第一集）。

【主治】 下利清谷，肢厥脉微者。

【方药】 均姜四钱　雄片二钱　葱白四根

【制法】 以水浓煎。

【用法】 内服，每服一次加童便少许。

【出处】 吴开富（《中医采风录》第一集）。

【主治】 下利烦温饱，咽嘶者。

【方药】 猪肤皮二两　花粉三钱　粳米一两

【制法】 水煎。

【用法】 内服。

【出处】 吴开富（《中医采风录》第一集）。

【主治】 年久溏泻，日夜十余次，屡治不愈（俗名浠粪痨）者。

【方药】 肉蔻霜三钱　生乳香三钱　苍术二钱

【制法】 共研细末，面糊为丸。

【用法】 早晚吞服一钱，开水送下。

【出处】 郧西县（《湖北验方集锦》第一集）。

【主治】 老年久泄。

【方药】 陈壁土（捣碎）一撮　白胡椒数粒　猪肉四两

【用法】 将药撒于肉片上，用厚纸湿透，久煨顿服。

【出处】 宁乡中医郭禄成（《湖南省中医单方验方》第
一辑）。

【主治】 久泻不止。

【方药】 前仁　白芍　甘草各三钱

【制法】 水煎。

【用法】 内服。

【出处】 黄佐卿（《中医采风录》第一集）。

【主治】 腹泻，以及久泻。

【方名】 四宝单

【方药】 白术去炒　广木香　黄连　大烟灰各等分

【制法】 共为细末，枣泥为丸，如绿豆大，朱砂为衣。

【用法】 每日服两次，每次服四丸。

【出处】 宁晋县刘喜勤（《十万金方》第六辑）。

【主治】 五更、天明定时泄泻一二次，不思饮食。

【方药】 五味子三两　故子一两　炒吴萸六钱　炒陈米四两

【制法】 共炒香，研末。

【用法】 日服二次，每次服二钱，早晚用开水送下。用
陈米汤送服尤妙。

【出处】 孝感专署（《湖北验方集锦》第一集）。

【主治】　泻泄。

【方名】　加减异元散

【方药】　生山药两　甘草三钱　滑石七钱　杭白芍六钱

【制法】　水煎服。

【用法】　一次服，小儿酌减。

【出处】　唐山市毛印（《十万金方》第十二辑）。

【主治】　泄泻不止。

【方药】　山药五钱　楂炭一两　红糖五钱　白糖五钱

【制法】　二药水煎去渣，红白糖调和。

【用法】　内服。

【出处】　郧西县（《湖北验方集锦》第一集）。

【主治】　脾胃湿热泄泻。

【方药】　滑石粉五钱　白术五钱　车前子（布包）二钱　木通二钱　甘草一钱

【用法】　水煎服。

【出处】　赤城县王希武（《十万金方》第二辑）。

【主治】　久泻不止。

【方药】　赤石脂一钱　杭芍一钱　公丁香二钱　泽泻二钱甘草一钱

【用法】　水煎服。

【出处】　赵金治（《大荔县中医验方采风录》）。

【主治】　身热下利，口渴心烦，脉浮数，小溲短赤。

【方药】　葛根三钱　黄芩三钱　黄连一钱五分　甘草一钱　扁豆花三钱

【制法】　水煎。

【用法】　日服三次。

【出处】　孝感专署（《湖北验方集锦》第一集）。

【主治】　五更泻不消化，吃什么便什么，肚腹疼痛。

【方药】　肉蔻（面煨）六钱　故纸八钱　吴萸二钱　五味子三钱　力参一钱

【制法】　共为细末，枣肉为丸，重三钱。

【用法】　白水送下，每服一丸，日服三次。

【出处】　峰峰矿区冀风台（《十万金方》第十二辑）。

【主治】　腹泻。

【方药】　茯苓三钱　猪苓三钱　泽泻三钱　桂枝三钱　白术三钱

【用法】　水煎，分二次服。

【治验】　肖某某，男，五十六岁，腹泻已续数月，每日溏泻数次，以拂晓时至早饭前排便次数较多，微有腹痛，曾经多次治疗未效，后改服本方一剂，症状大减，连服三剂痊愈。

【出处】　江西省荣誉军人疗养院肖大刚（《锦方实验录》）。

【主治】 大便滑泻。

【方药】 诃子肉三钱　乌梅二钱　米壳一钱　薏米三钱半　白茯苓三钱

【用法】 水煎服。

【出处】 博野县医院傅定国大夫方（《祁州中医验方集锦》第一辑）。

【主治】 腹痛泻。

【方药】 枳壳　桔梗　吴萸　木通各三钱　甘草一钱

【制法】 水煎。

【用法】 内服。

【出处】 胡成亮（《中医采风录》第一集）。

【主治】 久泻不止。

【方药】 云苓一两　山药一两　薏米一两　酒芍五钱　炒白果二两

【制法】 共研细末。

【用法】 每次一两，一日二次，饭前服，开水送下。

【出处】 郧西县（《湖北验方集锦》第一集）。

【主治】 飧泄、溏泄、过食，主冷饮食不节等症。

【方药】 补骨脂四两　酒炒吴萸三两　木香二两　干姜四两　肉蔻一两　乌药二两

【制法】 共为细末，山药打糊为丸，绿豆大。

【用法】 每服三钱，白开水送下。

【出处】 （《十万金方》第十二辑）。

【主治】 大吐泻，手足厥逆，目下陷者。

【方药】 乌梅 干姜各三钱 附片 黄连 炙草各二钱 洋参一钱

【制法】 水煎。

【用法】 内服。

【出处】 顾骏发（《中医采风录》第一集）。

【主治】 五更肾泄。

【方药】 肉豆蔻二钱 补骨脂四钱 五味二钱 炒吴萸一钱 生姜一钱五分 红枣十枚

【制法】 水煎。

【用法】 上药煮好，首次分两次服下，再煮一次服完。

【出处】 孝感专署（《湖北验方集锦》第一集）。

【主治】 久泄，久痢，或吐泻不止也有疗效。

【方药】 海金沙三钱 章丹一两 金礞石五钱 枯矾五钱 苍术五钱 甘石粉五钱

【制法】 把章丹炒至灰色，甘石粉用黄连煮透晒干，再用群药研成细末。

【用法】 三周岁小孩每服二分，日服二次。

【出处】 滦县任捷三（《十万金方》第十二辑）。

【主治】 五更黎明泄。

【方药】 故纸三钱 吴萸一钱半 肉蔻二钱 五味子一钱半 生姜三片 大枣三钱

【用法】 水煎服。

【出处】　苏国瑞、王玉如、王福元（《祁州中医验方集锦》第一辑）。

【主治】　大便火泄。

【方药】　甘草一钱　白芍三钱　黄芩三钱　川连二钱　葛根二钱　泽泻三钱

【用法】　水煎服。

【出处】　博野县医院傅定国大夫方（《祁州中医验方集锦》第一辑）。

【主治】　久泻不止（类似肠结核）者。

【方药】　一方：小建中汤（仲景方）

二方：桂附地黄汤

【制法】　水煎。

【用法】　以上两方按病况选用，内服。

【出处】　吴开富（《中医采风录》第一集）。

【主治】　急慢性脾胃不和，中满及水泻。

【方名】　加味胃苓汤

【方药】　川朴三钱　苍术二钱　陈皮一钱半　炙草一钱　猪苓三钱　泽泻二钱　白术二钱　官桂一钱　肉蔻二钱

【制法】　水煎。

【用法】　微温服。

【治验】　①杨爱，男，27岁腹痛水泻，脉细数，服此药二剂愈。②任和，男，24岁水泻，服此药二剂全愈。

【出处】　涿鹿县杨禅空（《十万金方》第二辑）。

【主治】 先是痢疾又变为水泻。

【方药】 党参 白术 云苓 白芍 当归 甘草各一钱
姜枣为引

【制法】 水煎二次。

【用法】 早晚各服一次。

【出处】 涿鹿县马耀廷（《十万金方》第二辑）。

【主治】 腹泻。

【方名】 加味芍药汤

【方药】 葛根三钱 白芍五钱 黄连二钱 黄芩三钱 粉草
三钱 黄柏三钱 川军二钱 枳实二钱

【用法】 水煎服。忌硬性食物，孕妇忌服。

【治验】 水泉壤村韩广男 31 岁，患腹泻，脉洪大，面
红身热，粪便酸臭黏稠，一昼夜十七八次，腹作阵痛，服此
药一剂而愈。

【出处】 涿鹿县段树勋（《十万金方》第二辑）。

【主治】 泄泻。

【方名】 胃苓汤

【方药】 陈皮三钱 苍术二钱 川朴三钱 云苓三钱 猪苓
三钱 泽泻二钱 木通二钱 扁豆三钱 白术二钱 甘草一钱

【用法】 上药用水四盅煎至一盅，空腹早晚温服。

【出处】 宋宪五（《十万金方》第二辑）。

【主治】 泻肚。

【方名】 健脾丹（祖传）

【方药】 广砂仁三钱　白扁豆三钱　公丁香三钱　大力参三钱　桔梗三钱　白术三钱　泽泻三钱　山药三钱　紫蔻三钱　广皮二钱　枳壳三钱　槟榔三钱　粉甘草二钱

【制法】 共为细末，空心白水送下，大人每次用三钱。

【用法】 一周岁每次用五分，三周岁每次用七分，每天早晚各服一次。

【出处】 冀县陈慕孔（《十万金方》第二辑）。

【主治】 久泻，五更泻。

【方药】 肉豆蔻三钱　故纸三钱　吴萸二钱　五味四钱　茯苓四钱　石榴皮二钱　泽泻三钱　甘草二钱

【用法】 水煎服。

【出处】 商都县常东才（《十万金方》第三辑）。

【主治】 大便泄泻。

【方药】 苍术三钱　白术八钱　川朴三钱　陈皮三钱　槟榔三钱　枳壳三钱　泽泻二钱　车前子三钱　甘草一钱

【制法】 以上各味土炒。

【用法】 水煎服。

【出处】 沽源县（《十万金方》第三辑）。

【主治】 大便溏泻，久治不效者。

【方药】 砂仁打　白蔻打　建莲打　白术　苍术　云苓　泽泻　米壳　扁豆　甘草　桂楠　芡实　薏米　山药　猪苓　各二钱

【制法】 水煎去渣，加冰糖、红糖、白糖各四钱，熬制成糖块。

【用法】　每服枣大一块，白水送下。

【治验】　都曹口村伍某某，男，六十岁，腹泻年余，多方不效，后用此方，一剂而愈。

【出处】　高阳县许寿彭（《十万金方》第六辑）。

【主治】　常年滑泻，经久不愈。

【方名】　回阳救急丹

【方药】　人参二分　鹿茸三分　广橘三分　紫蔻三分　清夏二分　陈皮二分　黄连一分　阿片膏一分　肉蔻一分

【制法】　以上共为极细末，枣肉为丸如绿豆大，朱砂为衣。

【用法】　每服七丸，小儿减半或酌用之。

【出处】　唐县谢发勋（《十万金方》第十二辑）。

【主治】　腹疼水泻。

【方药】　猪苓三钱　泽泻二钱　木通二钱　栀子二钱　白术二钱　黄芩三钱　白芍三钱　茯苓三钱　甘草一钱　灯心为引

【用法】　清水三盅，煎至一盅温服。

【出处】　枣强县孟照文（《十万金方》第十二辑）。

【主治】　鸡鸣泄（即五更泄），腹痛。

【方名】　加味四神丸

【方药】　补骨脂六两　吴茱萸三两　五味子四两　肉豆蔻四两　花椒一两　生疏黄六钱　大枣八十一个　生姜六两切片

【制法】　先用水煎姜枣，待诸药研成细面，用枣肉和诸药为丸，二钱重。

【用法】 每服一丸，每日服二次，空腹白开水送下。

【出处】 唐山市徐继（《十万金方》第十二辑）。

【主治】 常年下泄，消化不良，泄下完谷等症。

【方药】 黄芪一两 五味三钱 云苓五钱 白术三钱 丁香二钱 干姜三钱 木香二钱 砂仁三钱 甘草三钱 人参三钱 肉桂一钱

【用法】 水煎服。

【出处】 安国县李鹤鸣（《十万金方》第十二辑）。

【主治】 五更泄泻。

【方药】 破故纸三钱 焦术三钱 吴茱萸三钱 紫蔻仁三钱 台党参二钱 木香三钱 五味子一钱 广砂仁一钱

【用法】 水煎服（忌生冷硬食物）。

【出处】 易县吴子丰（《十万金方》第十二辑）。

【主治】 腹鸣腹泻，日夜不止。

【方药】 生白芍三钱 党参二钱 连肉二钱 升麻一钱 油桂一钱半 白术三钱 炮姜一钱半 炙草二钱 车前子二钱 砂仁二钱 陈皮二钱 川朴二钱

【用法】 水煎服。

【出处】 峰峰县韩守玉（《十万金方》第十二辑）。

【主治】 泄泻，不论那种泻或兼呕吐者。

【方药】 茯苓八钱 白术（毛苍术亦可）八钱 山药八钱 肉

豆蔻三钱　竹叶三钱　竹茹三钱　甘草三钱

【用法】　水煎服。

【治验】　陈禄田，男，三十三岁，大文村人，患泄下，治疗不愈，服此药一次愈。又李凤岗的爱人，六十二岁，石家庄人，患此症服药三剂而愈。

【出处】　中羊村门诊部孟庆安（《祁州中医验方集锦》第一辑）。

【主治】　常年下泻，消化不良，泻下完谷等症。

【方药】　黄芪一两　五味三钱　云苓五钱　白术三钱　丁香二钱　干姜三钱　木香二钱　砂仁三钱　甘草三钱　人参三钱　肉桂二钱

【用法】　水煎服。

【治验】　安国城内沈桂保，女，四十岁，患常年下泄，服此方而愈。赵洛坡，男，六十一岁，患久泄亦有数年，服此方数剂而告痊愈。

【出处】　安国先锋医院李鹤鸣（《祁州中医验方集锦》第一辑）。

【主治】　肾泻（亦名鸡鸣泻）。

【症状】　五更作泻。

【方药】　山萸一两　茯苓一两　巴戟天五钱　肉桂三钱　五味子三钱　元参三钱　白术一两　芡实一钱　车前子三钱

【用法】　水煎服。

【出处】　昔阳赵梦吉（《山西省中医验方秘方汇集》第三辑）。

【主治】 肾泻。

【症状】 五更作泻（亦名鸡鸣泻），平时无腹泻，唯在黎明腹中鸣，微有腹痛。

【方药】 台参三钱 焦术二钱 茯苓二钱 炙草一钱半 莲肉二钱 山药二钱 故纸二钱 吴萸一钱半 肉蔻二钱 砂仁一钱半 五味子一钱 扁豆五钱 乌梅二钱 诃子二钱 炙粟壳二钱 麦芽二钱 焦楂二钱

【用法】 水煎服。

【禁忌】 生冷食物及房事。

【出处】 忻县冯珍（《山西省中医验方秘方汇集》第三辑）。

【主治】 腹泻。

【方药】 苍术三钱 川朴二钱 广皮二钱 法半夏一钱半 桂枝一钱 白术二钱 茯苓三钱 泽泻三钱 白芍三钱 玉片一钱 乌梅三钱 炙甘草一钱 猪苓一钱半

【用法】 水煎服。

【禁忌】 孕妇不宜服。

【出处】 熊长焱（《中医验方汇编》）。

【主治】 泄泻（属虚寒）。

【方药】 党参三钱 白术三钱 肉蔻三钱 干姜三钱 诃子三钱 附片一钱半 粟壳三钱 炙甘草一钱半

【用法】 水煎服。

【出处】 西宁市卫协秦友三（《中医验方汇编》）。

【主治】 五更泻。

【方药】 苍术三钱　川朴二钱　广皮二钱　炙甘草一钱半　桂枝一钱　白术二钱　茯苓三钱　泽泻二钱　猪苓一钱半　玉片一钱　乌梅三钱　破故纸三钱　丁香一钱

【用法】 水煎服。

【禁忌】 孕妇不宜服。

【出处】 熊长焱（《中医验方汇编》）。

【主治】 泄泻。

【方药】 白芍五钱　柴胡一钱　车前子一钱　茯苓三钱　神曲五分　陈皮五分　甘草五分

【用法】 水煎服。

【出处】 西宁市卫协徐养臣（《中医验方汇编》）。

【主治】 泄泻腹痛。

【方药】 党参三钱　白术六钱　云苓三钱　炙芪三钱　肉蔻（煨）一钱半　诃子（炒）一钱半　车前子（另包）三钱

【用法】 水煎服。

【出处】 孙林卿（《大荔县中医验方采风录》）。

【主治】 泄泻不止，完谷不化，脉沉而无力，肾气不足，泄泻日久。

【方药】 力参三钱　煨肉蔻三钱　当归身三钱　土白术三钱　广木香一钱　杭白芍三钱　炙甘草一钱　破故纸二钱　红枣二个　生姜三片　煨诃子二钱

【用法】 水煎服。

【出处】　西安市中医学会会员赵生云（《中医验方秘方汇集》）。

【主治】　脾虚泻泄，腹痛。

【方药】　姜虫三钱　白术三钱　茯苓三钱　丁香三钱　青皮三钱　肉蔻三钱　藿香三钱　砂仁三钱　山药三钱　紫蔻二钱　官桂二钱

【用法】　共研末，做蜜丸三钱重，每服一丸，白水服下。

【禁忌】　孕妇忌服。

【出处】　延吉市孙秀峰（《吉林省中医验方秘方汇编》第三辑）。

【主治】　脾虚泻泄，完谷不化，经久不愈。

【方药】　党参三钱　白术四钱　茯苓三钱　石莲子三钱　苡米二钱　寸冬二钱　广木香二钱　陈皮三钱　神曲三钱　泽泻二钱　罂粟壳一钱

【制法】　水煎服。

【用法】　一日二次，四剂即愈。

【出处】　延庆县连建华（《十万金方》第三辑）。

【主治】　久泄，慢脾风症，吐泄不止，面黄唇白，昏睡不食，四肢厥逆。

【方名】　醒脾散

【方药】　人参一钱　白术　茯苓各三钱　木香　全蝎炒　僵蚕炒　白附子　天麻　甘草各二钱

【制法】 共为细末。

【用法】 一岁以内服一分，二至五岁服二分，余量病酌用。

【出处】 唐山市王士林（《十万金方》第十二辑）。

【主治】 久泻不止，肠鸣水泄，完谷不化，诸药不效的寒泄。

【方名】 温中散

【方药】 胡椒二钱　干姜一钱　公丁香一钱　紫油桂八分　川厚朴八分　硫黄五分　紫蔻一钱　朱砂五分

【制法】 共为细面。

【用法】 每服五分至八分，白开水送下。

【出处】 峰峰朱日峰（《十万金方》第十二辑）。

【主治】 凡到夏季则腹泄。

【方药】 苍术三钱　厚朴三钱　陈皮三钱　木香二钱　车前子三钱　木通三钱　赤茯苓三钱　猪苓二钱　泽泻四钱　炙草一钱　煨姜二钱　引用食盐少许

【用法】 水煎服。

【加减】 如腹痛，加白芍；若泄水、肛门发热，加川连二钱，连翘三钱，滑石四钱半；溏泄量少后重，加槟榔三钱。

【提示】 用实脾渗湿法加减皆效，一般夏季之泄泻多为腹鸣腹痛之水泄。

【出处】 张家口市孙华堂（《十万金方》第十二辑）。

【主治】 面黄肌瘦，不思饮食，四肢无力，腹胀作烧，每天五更泻泄5~10余次，经常性怕冷。

【方名】 五更泻方

【方药】 党参四钱 焦术三钱 白苓四钱 山药六钱 芡实一两 巴戟四钱 故纸六钱 炮姜二钱 肉蔻三钱 焦楂二钱 五味子—钱

【制法】 鼓肠加萝卜子一两。

【用法】 水煎服，午后空心服。

【出处】 滦县邸馨甫（《十万金方》第十二辑）。

【主治】 脾虚内热，消化不良，食谷不化，泄泻。

【方药】 人参 白术 茯苓 泽漆 猪苓 广木香 川连 藿香 肉蔻 诃子 吴萸 甘草 剂量可根据病情适量

【用法】 水煎服。

【出处】 张家口市赵琛（《十万金方》第十二辑）。

【主治】 大便不禁，食后入厕，并治小便频数。

【方名】 加味逍遥散

【方药】 当归三钱 白芍三钱 柴胡三钱 茯苓三钱 白术三钱 甘草—钱 黑栀三钱 丹皮三钱 生姜三片

【用法】 水三杯，煎一杯，临卧服。

【出处】 平泉县赵子芳（《十万金方》第十二辑）。

【主治】 五更泻。

【方药】 熟地—两 山药五钱 山萸五钱 白术五钱 云苓

三钱　升麻三钱　肉桂一钱　五味一钱　车前一钱

【用法】　水煎服。

【出处】　乐亭温叙九（《十万金方》第十二辑）。

【主治】　腹泻。

【方药】　党参三钱　白术三钱　赤苓三钱　猪苓三钱　泽泻三钱　茅术四钱　薏米四钱　山药四钱　肉桂一钱　车前三钱　肉蔻三钱煨　炮姜一钱　炙草二钱

【用法】　水煎，服三次。孕妇忌服。

【加减】　大便糟粕者，加神曲三钱；体热者，加酒芍三钱；腹鸣者，加腹皮三钱；腹胀满者，加草果仁一钱五分，苏梗三钱。

【出处】　前郭旗马志超（《吉林省中医验方秘方汇编》第三辑）。

【主治】　气虚脾弱之消化不良，腹中雷鸣，泄泻不愈。

【方药】　白术四钱　赤苓四钱　炙芪四钱　泽泻三钱　党参三钱　扁豆二钱　陈皮二钱　炙草二钱　猪苓一钱五分　肉蔻一钱　升麻一钱　姜枣各一钱

【用法】　水煎服三次。

【出处】　洮南杜中和（《吉林省中医验方秘方汇编》第三辑）。

【主治】　黎明泄。

【方药】　云苓二两　焦白术二两　故纸二两　八戟天八两　车前三两　炮姜一两　甘草二两

【用法】 水煎服。

【治验】 北段村张凤恒，患黎明泄，三剂除根无复发。

【出处】 安国县北段村医院李鹤田（《祁州中医验方集锦》第一辑）。

【主治】 大便寒泄。

【方药】 白术二钱半　甘草一钱　生炮姜一钱半　故纸二钱半　泽泻二钱　猪苓二钱　吴萸二钱

【用法】 水煎服。

【出处】 博野县医院傅定国大夫方（《祁州中医验方集锦》第一辑）。

【主治】 大便食泻。

【方药】 厚朴三钱　陈皮二钱　毛术二钱　肉蔻二钱　甘草一钱　神曲三钱　砂仁二钱

【用法】 水煎服。

【出处】 博野县医院傅定国大夫方（《祁州中医验方集锦》第一辑）。

【主治】 暑热泄泻。

【方药】 连翘五分　云苓二钱　青蒿一钱　通草五分　扁豆五分　六一散三钱　西瓜翠衣一片

【用法】 水煎服。

【治验】 暑妹子，女，1岁，暑热作泻，口渴引饮，服上方一剂而愈。

【出处】 宜春县春台公社卫生院黄毅然（《锦方实验录》）。

【主治】　泄泻。

【方药】　炒芡实一两　莲肉　猪苓　泽泻各五钱　广木香一钱　白砂糖一两　炮姜二钱　白术五钱

【制法】　共研末。

【用法】　每服三钱，开水送下。

【出处】　孝感专署（《湖北验方集锦》第一集）。

【主治】　寒泄。

【方药】　干姜二钱　甘草一钱　白术二钱　党参二钱　半夏一钱　陈皮二钱　桂南二钱　乌梅二钱　茯苓二钱　姜枣为引

【制法】　水煎。

【用法】　内服。

【出处】　孝感专署（《湖北验方集锦》第一集）。

【主治】　年久溏泄不止，伴有腹痛，日夜十余次者。

【方药】　焦术四钱　吴萸二钱　云苓三钱　姜炭三钱　白附三钱　油桂二钱　泽泻三钱　肉蔻霜三钱　扁豆三钱　木香一钱五

【制法】　水煎温。

【用法】　一日二次，每次一茶杯。

【出处】　郧西县（《湖北验方集锦》第一集）。

【主治】　腹泻兼疼者。

【方药】　厚朴三钱　陈皮二钱　苍术三钱　炙草二钱　猪苓三钱　建膝二钱　白术三钱　云苓三钱　桂枝　生姜三片引

【加减】　热者，加黄连钱、条芩二钱、车前子三钱；寒者，加吴萸二钱、附子一钱。

【用法】　水煎服。

【出处】　刘达三（《大荔县中医验方采风录》）。

【主治】　五更泻。

【方药】　补骨脂二两　肉豆蔻一两　吴茱萸二两　赤石脂二两　禹余粮二两　乌梅肉三两　黄连一两

【制法及用法】　共为细末，以枣肉为丸，如梧桐子大。每日早晚各服二钱，用白开水送下。

【出处】　（《青海中医验方汇编》）。

【主治】　久泻不止，消化不良。

【方药】　人参二两五钱　茯苓一两　白术二两　山药一两五钱　莲肉一两五钱　白扁豆一两五钱　桔梗一两　炙草五钱　砂仁一两　薏苡仁二两

【制法及用法】　共研细末，每服二钱。饭前用米汤或枣汤冲下，一日二次。

【出处】　（《青海中医验方汇编》）。

【主治】　妇女稀屎痨，日久不愈。

【方药】　党参五钱　白术四钱　肉蔻三钱　煨诃子三钱　朴头二钱　广皮三钱　炮均姜一钱　炮附子一钱半　炙米壳三钱　建莲子三钱　炙甘草二钱　红枣为引

【制法】　水煎。

【用法】　内服三四剂可愈。

【出处】　汝南贺鸣远（《河南省中医秘方验方汇编》续二）。

三、痢疾

　　痢疾以痢下赤白脓血、腹痛、里急后重为主要表现，多是因为外感时邪疫毒，内伤饮食不洁，湿热或寒湿、疫毒结于肠腑，气血壅滞，脂膜血络受损，化为脓血，大肠传导失司，发为痢疾。

　　暴痢多实证，久痢多虚证。所以，初痢宜通，久痢宜涩，热痢宜清，寒痢宜温，寒热虚实夹杂者宜通涩兼施、温清并用。

　　【主治】　久痢（慢性痢疾）。

　　【方药】　鸦胆子

　　【用法】　将此药去皮，成人每次服十粒，以胶布装之，连服最好，日服一次。

　　【治验】　本县南关刘义民，年十三岁，连服半月痊愈。

　　【出处】　安国高天佑（《祁州中医验方集锦》第一辑）。

　　【主治】　红白痢疾。

　　【方药】　鲜大萝卜一个　生姜一小块

　　【用法】　萝卜捣汁到两酒盅，生姜捣汁半酒盅，再入白蜜一酒盅，调匀顿服。如无鲜萝卜用莱菔子亦可，惟多用之，轻者二三次，重者五六次即愈。

【治验】　安国城马志逢等多人。

【出处】　焦耀然（《祁州中医验方集锦》第一辑）。

【主治】　痢疾。

【方药】　黄连一钱半　吴萸五分　杭芍一钱半

【用法】　黄连、吴萸同炒后，去吴萸。赤痢用百草霜米汤煎服，白痢用乌梅汤米汤煎服。

【提示】　一岁幼儿剂量，一岁以下者酌减，一岁以上者酌加。

【出处】　周文轩（《中医验方汇编》）。

【主治】　妇女痢疾。

【方药】　山楂一两　砂仁三钱　红白糖各一两

【制法及用法】　水煎，分数次服之。

【出处】　高平县李晓初（《山西省中医验方秘方汇集》第二辑）。

【主治】　红白痢。

【方药】　川军一两　杏仁五钱　砂仁一两　川壳一两　草乌一两　毛苍术二钱

【用法】　共为细末，大人每服五分至一钱，小儿一至三分，每日吃两次。红痢以灯心为引，白痢以生姜为引，红白痢用灯心、生姜为引。

【治验】　安国纪家庄纪老香，经此方四剂痊愈。

【出处】　安国李巽明（《祁州中医验方集锦》第一辑）。

【主治】 食积、寒积痢疾，腹痛下利。

【方名】 破积丸

【方药】 白胡椒二钱　灵脂三钱　菖蒲二钱　干姜二钱　巴豆霜三分　牛黄少许

【制法】 共为细面，面糊为丸，如绿豆大。

【用法】 每服七丸，白滚水送下。

【出处】 束鹿县张超群（《十万金方》第一辑）。

【主治】 波状热，腹痛下痢，呕吐，胀满，咳嗽发烧，自汗，小便赤涩，舌苔黄腻等。

【方药】 杏仁二钱　滑石二钱　通草一钱　厚朴一钱半　法夏二钱　陈皮一钱半　黄芩二钱　黄连一钱　郁金一钱半

【煎法及用法】 用水二茶杯，煎至多半茶杯，清出，饭前温服。隔三小时，渣再煎服。

【禁忌】 孕妇忌服。

【出处】 （《青海中医验方汇编》）。

【主治】 赤白痢疾。

【方药】 杭芍一两　当归一两　黄连三钱　木香三钱　白头翁五钱　椿白皮五钱　枳壳三钱　炒萝卜子三钱　地榆三钱　槐花三钱　柴胡三钱　黄芩三钱　半夏三钱　甘草二钱

【用法】 水煎服。

【治验】 本县吕庆生等二十余人。

【出处】 安国李鹤鸣（《祁州中医验方集锦》第一辑）。

【主治】 赤白痢。

【方名】 除蛰丹。蛰者，陈积物也；除者，除清也。凡小儿内有食积湿热结聚于中，诸叫做陈积。此丹能治腹内一切陈积，故取名除蛰丹。

【方药】 川朴一两 南楂一两 槟榔八钱 葛根二两 云连五钱 黄芩一两 木香三钱 川庄二两

【制法】 共研细末，面灰糊锭，赭石为衣。

【用法】 凡未满一岁小儿，每日服半锭，分两次开水调服。一至二岁小儿日服一锭，三至五岁小儿日服两锭，六至十岁日服三锭。

【出处】 邹梧生祖传（《崇仁县中医座谈录》第一辑）。

四、腹痛

腹痛，俗称为"肚子痛"，是临床上常见的症状，可分为急性腹痛与慢性腹痛两类。轻微的腹痛多半是因为消化不良等胃肠道功能紊乱所引起的；持续性的严重腹痛可能是十分严重的疾病反映，如炎症、肿瘤、出血、梗阻、穿孔等，需要引起重视，及时去医院就诊。

【主治】 阴寒腹痛。

【方药】 骚羊古一钱

【制法】 研成细末。

【用法】 烧酒吞服，一次服完。

【出处】 古少清（《贵州民间方药集》增订本）。

【主治】 突然腹痛如绞，气闭欲绝，面赤脉数者。

【方药】 大黄

【制法】 以水磨浓如清羹。

【用法】 兑开水少许服，续服数次即愈。

【出处】 朱敬贤（《中医采风录》第一集）。

【主治】　腹痛不止。

【方药】　盐菜

【制法】　切成小条。

【用法】　插入患者肛门内，听到腹内有声即愈。

【出处】　沽源县（《十万金方》第二辑）。

【主治】　腹痛，不分四季突然发病者，喜按喜暖恶冷，剧痛（只要感寒凉得之者，即可服此方）。

【方药】　麦秸（去根）一把

【制法】　烧成灰，用滚水冲拌后，用纱布滤净。

【用法】　热饮，腹痛立止。

【治验】　服药后无副作用，此方简便又经济，适合农村急救之用。如服后不能彻底痊愈，可再根据病情调治。

【出处】　无极县（《十万金方》第二辑）。

【主治】　暴急腹痛，气不得升降。

【方药】　麝香少许

【用法】　涂于脐上贴上纸，即可止痛。

【出处】　赤城县东郊联合诊所（《十万金方》第三辑）。

【主治】　色风腹痛。

【方药】　鸽子（初生一月）一只

【用法】　剖腹去肠杂，先以麝香撒患者脐上，再将鸽子罨上。

【出处】　武平县谢静君（《福建省中医验方》第二集）。

【主治】　腹痛。

【方药】　糠皮<small>炒热</small>

【用法】　用布包之，热敷腹部。

【出处】　西宁铁路医院谭文华（《中医验方汇编》）。

【主治】　腹部阴寒气胀疼痛和发痧症。

【方药】　青藤香（马兜铃根）<small>一钱</small>

【制法】　研成细末。

【用法】　开水吞服。

【出处】　民间流行（《贵州民间方药集》增订本）。

【主治】　腹部疼痛。

【方药】　连头蒜<small>四头</small>

【制法】　用湿纸包住烧熟，吃两头，稍许再吃两头，即疼止病愈。

【出处】　赤城县半壁店分院程普仁（《十万金方》第三辑）。

【主治】　嗜酒腹痛，火结便秘，舌苔黄厚。

【方药】　扁竹根（即豆豉草）<small>四两</small>

【用法】　捣烂绞汁，调鸡蛋蒸好一次服，约四小时大便即通，糜粥自养。

【出处】　温江县郭卓云（《四川省医方采风录》第一辑）。

【主治】　冷腹痛。

【方药】　嫩枫树叶<small>七片（一次量）</small>

【用法】 将上药烘干研末，开水送下，日服两次，四小时服一次。

【出处】 葛华远（《崇仁县中医座谈录》第一辑）。

【主治】 腹痛起包（俗称酒病）。

【方药】 白鸡爪（草药）三钱

【制法】 酒煎。

【用法】 内服。

【出处】 姚豁然（《中医采风录》第一集）。

【主治】 腹痛或呕吐。

【方药】 白矾

【制法】 磨冷沸水。

【用法】 内服。

【出处】 谢回春（《中医采风录》第一集）。

【主治】 腹痛。

【方药】 盐姜散

【用法】 冲开水服。

【提示】 盐姜散：生姜不拘多少，捣汁并称其重量，再取等量的食盐，放在锅内炒略至呈茄红色；将姜汁徐徐加入，至姜汁炒干为度，然后取出研末，即成盐姜散。

【出处】 南靖县林星华（《福建省中医验方》第三集）。

【主治】 中寒缩阴腹痛。

【方药】 骚羊古根三钱　蓝布正三钱

【制法】 各药研成细末，混合，制成散剂。

【用法】 酒水各半吞服，服后复被取汗。

【出处】 杨济中（《贵州民间方药集》增订本）。

【主治】 肚腹疼痛。

【方药】 荜茇七个　大红枣（去核）七个

【制法】 将荜茇包在红枣内煨黄，研成细面。

【用法】 酒冲服。

【出处】 尚义县朱昭庆（《十万金方》第二辑）。

【主治】 心腹诸痛。

【方药】 五灵脂一钱半　炮姜三分

【制法】 共为细末。

【用法】 热酒送服。

【出处】 易县李炳震（《十万金方》第十辑）。

【主治】 腹痛。

【方药】 白芍三钱　甘草二钱

【制法】 水煎。

【用法】 内服。

【出处】 建利县（《湖北验方集锦》第一集）。

【主治】 腹痛泄泻。

【方药】 鲜姜　大甘草各三钱

【制法】 水煎。

【用法】 温服。

【治验】　此方治愈已数十人。
【出处】　束鹿县张习轩（《十万金方》第三辑）。

【主治】　腹痛泄泻。
【方药】　白酒　红糖
【用法】　二味熬热内服。
【出处】　沽源县（《十万金方》第三辑）。

【主治】　寒冷腹痛。
【方药】　橘子叶一斤　柚子一斤
【用法】　将上叶放锅内炒热，用布包好，乘热放脐腹上熨，冷则复炒，连熨数次，腹痛即止。
【出处】　欧阳洪生（《崇仁县中医座谈录》第一辑）。

【主治】　腹痛。
【方药】　煅石膏八两　明矾八两
【制法】　共研细末，米汤调和为丸。
【用法】　每服三钱，开水送下。
【出处】　孝感专署（《湖北验方集锦》第一集）。

【主治】　腹痛。
【方药】　干蛾眉豆一两　生姜三片
【制法】　水煎。
【用法】　内服。服后半小时就能止痛。
【出处】　孝感专署（《湖北验方集锦》第一集）。

【主治】 虚性腹痛。

【方药】 黄芪五钱　甘草二钱

【加减】 小腹痛可加小茴香。

【制法】 水煎。

【用法】 内服。

【出处】 陈运国（《中医采风录》第一集）。

【主治】 腹痛。

【方药】 延胡三钱　血竭一钱五

【制法】 打面。

【用法】 每服一钱，白开水送下。

【出处】 魏泽生（《中医采风录》第一集）。

【主治】 腹痛气滞。

【方药】 香附米三钱　川郁金一钱半　生草一钱

【用法】 水煎服。

【提示】 此方属于寒气痛有效，服时加生姜更好。

【出处】 昔阳梁垂彦（《山西省中医验方秘方汇集》第三辑）。

【主治】 胃痛。

【症状】 寻常腹痛，乍作乍止，脉洪有力。

【方药】 生白芍三钱　川黄连一钱　生甘草一钱半

【用法】 水煎服。

【出处】 昔阳梁垂彦（《山西省中医验方秘方汇集》第二辑）。

【主治】 肚腹疼痛不止。

【方药】 山楂七个　白豆蔻七个　砂仁七个

【制法】 共捣为末。

【用法】 白开水送下。

【出处】 怀安县李满堂（《十万金方》第二辑）。

【主治】 肚腹疼痛。

【方药】 醋一两　鸡蛋一个　青盐一两

【制法】 混合一起。

【用法】 用锅蒸熟，温凉时吃下即愈。

【治验】 忌食猪肉。

【出处】 沽源县柴绍旺（《十万金方》第二辑）。

【主治】 多年寒冷腹痛不治。

【方名】 火硫丹

【方药】 硫黄一两　胡椒四钱　白矾三钱

【制法】 用黄米荞面糊丸，如绿豆大。

【用法】 每次一钱，白水送下。

【出处】 峰峰矿区张振安（《十万金方》第十辑）。

【主治】 饱食后因用力引起腹痛、反饱作胀。

【方药】 大黄（酒炒）　干姜　香附（酒炒）各等分　共为细末贮用

【用法】 每次服一至二钱，用白开水服；若呕吐，则用姜开水下。

【出处】 彭县卫生工作者协会（《四川省中医秘方验方》）。

【主治】　一切寒证胸腹作痛。

【方药】　吴萸　黑姜　官桂各等分　研为细末

【用法】　每次服一钱至一钱半，以开水服下。

【出处】　彭县卫生工作者协会（《四川省中医秘方验方》）。

【主治】　胸腹胀痛，呕吐。

【方药】　五灵脂三钱　黄精子一钱　萝卜子炒二钱

【制法】　打面，兑甜酒。

【用法】　内服。

【出处】　黎汉卿（《中医采风录》第一集）。

【主治】　少腹疼痛。

【方药】　元胡三钱　小茴三钱　白胡椒九粒　研细末

【用法】　每服三钱，黄酒冲服。

【出处】　冯清廉（《大荔县中医验方采风录》）。

【主治】　腹疼。

【方药】　香附子四钱　良姜四钱　生姜三片引

【用法】　水煎服。

【出处】　李华峰（《大荔县中医验方采风录》）。

【主治】　心腹诸者（不论寒热）。

【方药】　丹参三钱　砂仁一钱　白檀香一钱

【用法】　水煎一二剂即愈。

【出处】　陈静安（《崇仁县中医座谈录》第一辑）。

【主治】 腹痛难忍。

【方药】 灶心土　葱白　田螺（烧灰）各一两

【制法】 共捶作饼。

【用法】 敷脐上。

【出处】 孝感专署（《湖北验方集锦》第一集）。

【主治】 心腹痛。

【方药】 砂头三钱　良姜四钱　荜茇二钱

【制法】 打面。

【用法】 每次服一钱，白开水送下。

【出处】 白市医院（《中医采风录》第一集）。

【主治】 积聚腹痛，腹中有块状如杯复，痛时上冲心胸难忍者。

【方药】 全蝎一钱　杏叶一钱　良姜一钱

【制法】 上药共为细面，以熟鸡子蘸药面吃之（以上分量为一次服量）。

【治验】 白奇三村赵云井 48 岁，患此症经服药而愈，后更用此方治愈者数十人。

【出处】 芋县庞如愚（《十万金方》第一辑）。

【主治】 阴寒腹痛，男女房事后腹中急痛。

【方药】 白胡椒七粒　姜一块　葱白三寸　芒硝一钱

【制法】 将药放一处，共捣如泥。

【用法】 贴在患者肚脐上即愈。

【治验】 1951 年本县哈明代村一学生患此症，用此方立愈。

【出处】 康保县章志刚（《十万金方》第二辑）。

【主治】 阴寒小肚痛。

【方药】 白矾三钱　章丹一钱　胡椒三钱　火硝一钱

【制法】 共为细末，用干醋调和成膏。

【用法】 药放在手心内，按在大腿根上，经半小时即可出汗，即愈。

【出处】 峰峰矿区刘守富（《十万金方》第十辑）。

【主治】 心腹疼痛，气血凝滞。

【方名】 活络丹

【方药】 没药　乳香　当归身　丹参各五钱

【制法】 共为细末。

【用法】 每服五钱，黄酒少许为引，日服二次。

【治验】 治好本村王二斜，男，五十二岁，一剂而愈。

【出处】 藁城县王保庆（《十万金方》第十辑）。

【主治】 腹痛，大便难。

【方药】 西大黄二钱　生杭芍五钱　乳香一钱　粉草一钱

【用法】 水煎服。

【出处】 孙林卿（《大荔县中医验方采风录》）。

【主治】 心腹气痛。

【方药】 制香附　炒良姜　五灵脂　猪蹄甲各等分

【制法】 共研细末，蜜为丸，如绿豆大。

【用法】 早晚各服七丸，开水送下。

【出处】 郧西县（《湖北验方集锦》第一集）。

【主治】 脾虚腹痛，左胁下痛，痛甚剧烈，脉虚缓。

【方药】 炒白芍一两　炙甘草三钱　烧枣（去核）三枚　烧姜三钱

【加减】 寒者，加肉桂二钱。

【制法及用法】 水煎空心服，渣再煎服。

【禁忌】 生冷寒物、怒气。

【出处】 长子县李荫成（《山西省中医验方秘方汇集》第二辑）。

【主治】 胸腹结痛，时作时止者。

【方药】 小陷胸汤（仲景方）加丝瓜布（分量酌用）

【制法】 水煎。

【用法】 内服。

【出处】 胡行扬（《中医采风录》第一集）。

【主治】 腹疼。

【方药】 烧酒四两　红糖二两　神曲五钱　鲜姜三片

【用法】 水煎温服。

【治验】 服后下瘀血，不痛血止，疗效甚佳。

【出处】 沽源县（《十万金方》第三辑）。

【主治】 胸腹胀痛，气噎，宿食不消，大便不通者。

【方药】 广香一钱五　胡椒一钱五　全虫七个　巴豆（去心

皮）十枚

【制法】 研面为丸如桐子大。朱砂为衣。

【用法】 成人体健者，每次服三五丸，姜汤送下。

【出处】 胡明生（《中医采风录》第一集）。

【主治】 阴寒腹痛及产后风。

【方名】 神效风寒立效汤

【方药】 核桃七个　大枣七个去核　胡椒七个　葱心三个

独头蒜三个

【用法】 水煎服。

【出处】 唐山市郝菖江（《十万金方》第十辑）。

【主治】 阴寒腹痛，剧痛不止，小便抽缩，四肢厥逆。

【方名】 纯阳膏

【方药】 章丹四钱　火硝三钱　枯矾三钱　白胡椒　鲜姜

一两五钱

【制法】 将药共研细面，将鲜姜切碎，和药共捣成膏。

【用法】 敷贴在肚脐上，一小时后汗出而愈。

【出处】 峰峰朱日峰（《十万金方》第十辑）。

【主治】 脐上痛。

【方药】 枳实四钱　大黄五钱　清夏三钱　白芍三钱　甘草

一钱

【制法】 水煎服。

【用法】 三剂就好。

【出处】 峰峰程福棠（《十万金方》第十二辑）。

【主治】　气滞腹痛，小便短少。

【方药】　黑白丑牛一两　吴萸五钱　香附子五钱　萝卜子五钱　黄荆子五钱

【用法】　研细，每次服一至二钱，兑酒服。

【出处】　大竹县程云丰（《四川省医方采风录》第一辑）。

【主治】　剧烈腹痛。

【方药】　乳香（制）　没药（制）　三棱　莪术各三钱

【制法】　水煎。

【用法】　内服。

【出处】　襄樊市（《湖北验方集锦》第一集）。

【主治】　因感风寒小腹作痛或虚冷腹痛，阴疝作痛。

【方药】　沉香一钱　香附三钱　良姜三钱　油桂三钱　白酒一斤

【用法】　将四味药共为粗末、布袋装好，加入酒瓶中浸三日后，即可应用，每日早晚各饮一盅。孕妇忌服。

【出处】　桦甸县（《吉林省中医验方秘方汇编》第三辑）。

【主治】　少腹疼痛。

【方药】　朱砂拌茯神三钱　郁金三钱　红花一钱五分　制乳香二钱

【制法】　水煎，加童便一杯。

【用法】　顿服。

【出处】　孝感专署（《湖北验方集锦》第一集）。

【主治】 肠绞痛。

【方药】 干姜 肉桂 煅牡蛎 茯苓 泽泻各三钱

【用法】 水煎服。

【出处】 孝感专署(《湖北验方集锦》第一集)。

【主治】 胸腹冲痛，心悸动者。

【方药】 茯苓 桂枝 甘草 大枣 椒目

【制法】 水煎。

【用法】 内服。

【出处】 胡行扬(《中医采风录》第一集)。

【主治】 腹久痛不愈，剧痛时面显青筋，脉弦细者。

【方药】 人参 白术 炮姜 附片 大黄 炙草

【制法】 水煎。

【用法】 内服。

【出处】 杨厚光(《中医采风录》第一集)。

【主治】 寒气肚痛。

【方药】 川楝肉半斤 吴萸六钱 乌药三两 小茴香四两 广木香三两 附子一两

【制法】 共将前药为细末，水泛为丸。

【用法】 每服三钱。

【出处】 薛明永(《十万金方》第三辑)。

【主治】 心腹痛胀。

【方药】 玄胡索三钱 五灵脂二钱五分 草果二钱五分 乳

香三钱　　没药三钱

【用法】　上药分二次煎服。

【出处】　孝感专署（《湖北验方集锦》第一集）。

【主治】　小腹急痛如刀刺，脉紧。

【方药】　当归三钱　香附一钱半　青皮二钱　杭白芍三钱
黄柏二钱　广香一钱半　川楝三钱　橘核子三钱　粉草一钱　乌药
一钱半

【用法】　水煎服。

【出处】　江西崇义李兴忠（《中医名方汇编》）。

【主治】　腹痛（呕吐、四肢厥冷）。

【方药】　当归三钱　木通二钱　桂皮二钱半　生姜一片
细辛五分　茜草一钱　生白芍二钱半　红枣二只

【用法】　水煎空心服。

【提示】　根据病情和此方药性掌握使用。

【出处】　江西上犹曾声逵（《中医名方汇编》）。

【主治】　腹部疼痛，大便不利（原方载治肠梗阻）。

【方名】　大黄附子汤

【方药】　大黄二钱半　制附子一钱　李仁三钱　乌药三钱
火麻仁三钱　建曲三钱　川朴一钱半　槟榔片二钱　腹皮一钱半
枳壳二钱　青皮一钱半

【用法】　水煎服。

【出处】　阳原县宋坪（《十万金方》第二辑）。

【主治】 腹疼胀满，大便不通，按之更甚，两脉沉实有力。

【方名】 平胃散加减

【方药】 苍术三钱　白芍三钱　广木香二钱　莱菔子二钱　枳实二钱　台乌药二钱　三棱二钱　甘草三钱　干姜二钱　厚朴三钱　香附三钱　莪术二钱　川军三钱　五灵脂二钱　川连五分　吴萸钱半　沉香一钱半　槟片二钱

【制法】 引用鲜生姜，水煎，如兼有呕吐者加藿香二钱。

【用法】 水煎服。

【出处】 阳原县贾振堂（《十万金方》第二辑）。

【主治】 阴寒腹痛。

【方药】 官桂四钱　附子一钱半　边桂四钱　藿香三钱　乌药三钱　紫苏三钱　川羌三钱　防风三钱　干姜二钱

【用法】 水煎服。

【出处】 峰峰矿区山底村朱脉心（《十万金方》第十辑）。

【主治】 不论男女交合受寒，少腹抽搐难忍，兼有呕吐，男子小便缩，服此方很效。

【方药】 茅术　枳壳　桔梗　厚朴　半夏　白芍　怀牛膝各三钱　陈皮　广黄　元胡各二钱　肉桂一钱　甘草　川芎各一钱　花粉二钱

【用法】 水煎服。

【出处】 唐山市闫佐诚（《十万金方》第十辑）。

【主治】 寒积凝滞腹痛。

【方名】 神效十香散

【方药】 上沉香 葶苈子炒 广木香醋炒 三棱 正川芎 大丁香 槟榔片 没药炒 牙皂炒 巴豆霜 广木香各三钱

【制法】 共为细末。

【用法】 成人每服五至八分，一日两次，早晚空心白水送下。

【出处】 安国县王德昇（《十万金方》第十辑）。

【主治】 色风腹痛。

【方药】 桂枝一钱半 炒芍三钱 炙草一钱 生姜三钱 川楝三钱 大枣十枚 花椒一钱半 干姜六分

【用法】 水煎服。

【提示】 桂枝汤加减，不但色风可用，夹阴伤寒腹痛亦可研究应用。

【出处】 厦门市陈耀庚（《福建省中医验方》第二集）。

【主治】 腹痛胀满，腹内上下转动，不思饮食，食不下行，六脉沉而无力。

【方药】 广陈皮二钱 广木香（研碎另包）二钱 广藿香二钱 制香附二钱 川厚朴二钱 泽泻二钱 枳壳二钱 乌药二钱

【制法及用法】 用水一小碗煎至半碗，将木香冲入温服，药渣复煎一次，服法如前。

【禁忌】 忌食生冷，切勿动气。

【出处】 离山县刘毓彬（《山西省中医验方秘方汇集》第二辑）。

【主治】 腹痛、身热、口渴。

【方药】 柴胡六钱 枳壳 白芍 粉葛 木通 二皮油朴各三钱 肉桂五分

【制法】 水煎。

【用法】 内服。

【出处】 吴祖福（《中医采风录》第一集）。

【主治】 腹痛。

【方药】 当归一钱半 元胡一钱半 灵脂一钱 草果一钱 滑石一钱 甘草五分

【用法】 煎两次，先后分服。

【出处】 朱伟卿（《崇仁县中医座谈录》第一辑）。

【主治】 寒滞腹痛。

【方药】 紫厚朴二钱半 花槟榔一钱半 蓬莪术二钱半 台乌药三钱 小枳实一钱半 广木香一钱半 广陈皮一钱半 制香附三钱 粉甘草一钱半

【用法】 煎两次，先后分服。

【出处】 邹梧生（《崇仁县中医座谈录》第一辑）。

【主治】 腹胀痛。

【方药】 丁香二十一颗 青皮五钱 吴萸 大小茴各二钱 神曲一两 玉桂二钱 大酢曲一两 胡椒二十一颗

【制法】 碾面。

【用法】 每次服二钱，白酒对服。

【出处】 邓维缙（《中医采风录》第一集）。

【主治】　急性腹痛。

【方药】　苍术一钱　川朴三钱　陈皮三钱　甘草一钱　杭芍二钱　川椒一钱　元胡三钱　甘松三钱

【加减】　呕吐，加竹茹三钱，砂仁二钱；泻者，加苍术二钱，减川朴。

【用法】　水煎服

【出处】　无极县杨振安（《十万金方》第二辑）。

【主治】　各种痧症腹剧痛，皮肤有瘀斑，或两脚转筋者。

【方药】　蒲黄　五灵脂　三棱　文术　广香　油朴各三钱　枳实四钱　吴萸二钱

【制法】　水煎。

【用法】　内服。

【出处】　程代学（《中医采风录》第一集）。

【主治】　胃中积聚。

【症状】　胃中积块，腹痛拒按，饮食减少，身体消瘦。

【方药】　苍术一两　陈皮五钱　青皮五钱　枳实一两　焦三仙三两　川朴一两　槟榔三钱　赤芍五钱　煨三棱三两　川朴一两　槟榔三钱　赤芍五钱　煨三棱五钱　煨莪术五钱　莱菔子五钱　吴萸三钱　广木香一钱半　元桂三钱　蕃杏叶二钱　醋川军一两　当归一两

【加减】　气虚体弱者，加人参三钱。

【用法】　研为细末，每早五时用青茶水送服三钱，如发现气虚，可服独参汤一二剂，积块消除了三分之二时可停服，换服养胃散（恐积块消尽，胃气也消尽，就难恢复），以后在健胃基础上消灭余积。

【治验】 ①王保玉，男，25 岁，厂矿工人。病历号：8702。腹大如鼓，按之如石（坚硬），西医诊断为"腹膜炎"，中医认为寒食积聚，饮食甚少。给以消积散二剂后服养胃散，痊愈出院。②安良由，男，20 岁。病历号：40279。面黄肌瘦，按胃部有鸡卵形块，压之即痛。给以消积散剂，后出粪结石十三个，继服养胃散。腹痛消失，胃部柔软，食欲增加痊愈出院。③李本，男，46 岁，太原手工业合作社。病历号：62587。患者空腹吃柿子二斤，患此腹痛，胃部有拳头大块，照相后块积显然。给以消积散加焦柿子二个，服后柿饼块消失再服养胃散。腹痛消失，积块消散，复照象后无积块异物，痊愈出院。

【出处】 省人民医院赵焕文（《山西省中医验方秘方汇集》第三辑）。

【主治】 急性腹痛。

【扣打部位】 上复部，脐周围及背部胸椎（第五—八椎）两旁。

【手法】 用梅花针扣打上述部位十至二十分钟。

【治验】 万某某，女，年十二岁，脐部周围剧烈疼痛，大汗如珠，经针刺足三里、合谷、内关，灸中脘、神阙疼痛仍未减轻，随即改用梅花针扣打后，疼痛消失。

【出处】 江西省中医药研究所许坚（《锦方实验录》）。

【主治】 腹痛拒按，大便色黑。

【方药】 桃仁三钱　当归三钱　大黄二钱半　朴硝三钱　郁

金二钱　枳壳三钱　粉甘草二钱

【制法】　水煎。

【用法】　饭前服。

【出处】　建利县（《湖北验方集锦》第一集）。

【主治】　虚寒胀满，腹痛喜按。

【方药】　厚朴三钱　陈皮三钱　干姜一钱半　草蔻二钱　广木香一钱　苍术二钱　炙甘草二钱

【制法】　水煎。

【用法】　一日服一剂。

【出处】　建利县（《湖北验方集锦》第一集）。

【主治】　寒性腹痛，胃痛。

【方药】　肉桂一钱　吴萸一钱　清夏一钱　茴香一钱　良姜一钱　炮姜一钱　附子一钱　乌药一钱　木香一钱　杜仲一钱　砂仁一钱　官桂一钱　白果一钱　楝子一钱　香附一钱　白蔻一钱　沉香一钱　草果仁一钱

【用法】　水煎服三次。孕妇忌服。

【出处】　梅河口张永富（《吉林省中医验方秘方汇编》第三辑）。

【主治】　腹痛。

【方药】　良姜三钱　青皮二钱　川楝子二钱　灵脂二钱　大茴香二钱　甲珠二钱　延胡一钱五分　槟片一钱五分　没药一钱五分　沉香一钱　砂仁一钱　丁香五分

【用法】　共为细面，每服三钱，黄酒送下。

【出处】 前郭旗马志超（《吉林省中医验方秘方汇编》第三辑）。

【主治】 腹痛。

【方药】 平胃散三钱　加藿香面一钱　木香一钱　麝香七厘

【用法】 水煎两次，开白水服下。孕妇忌服。

【出处】 怀德县邹洪迅（《吉林省中医验方秘方汇编》第三辑）。

【主治】 腹鸣起包暴痛，响后痛止，脉见沉迟。

【方药】 麻黄一两　附子三钱　细辛一钱　桂枝一钱五分　甘草二钱　生姜二两　大枣十个

【用法】 水煎，服三次。

【出处】 长岭县芦锡林（《吉林省中医验方秘方汇编》第三辑）。

五、急性胃肠炎

急性胃肠炎是胃肠黏膜出现的急性炎症，临床主要表现为恶心、呕吐、腹痛、腹泻、发热等，尤其是上吐下泻最为明显。

本病常见于夏秋季，多由于饮食不当，暴饮暴食；或食入生冷腐馊、秽浊不洁的食物导致。

【主治】 胃肠炎，呕泻很厉害。

【方药】 黄土—斤 四叶菜—把

【用法】 将四叶菜捣烂，用开水泡搅匀，澄清，俟冷滤去渣，不拘多少，尽量服下。

【提示】 四叶菜即《本草纲目》中的蘋。

【出处】 城步县中医孟炳吉（《湖南省中医单方验方》第二辑）。

【主治】 急性肠炎。

【方药】 茯苓 白术 泽泻 猪苓 黄连

【制法】 用水煎。

【用法】 内服。

【出处】 任崇华（《中医采风录》第一集）。

【主治】　慢性肠炎。

【方药】　八味肾气丸加桔梗

【制法】　用水煎。

【用法】　内服。

【出处】　任崇华（《中医采风录》第一集）。

【主治】　急性肠炎，里急后重。

【方药】　黄连二钱　乌梅四钱　白芍三钱　玉片二钱　广木香二钱　炙草一钱半

【煎法及用法】　共研细末，炼蜜为丸，每丸二钱重。用开水冲下，一日两次。

【提示】　以上剂量按成人拟定，小儿按年龄酌减。

【出处】　（《青海中医验方汇编》）。

【主治】　急性肠炎，腹中雷鸣。

【方药】　川朴二钱　苍术三钱　猪苓二钱　泽泻二钱　茯苓三钱　广皮二钱　桂枝二钱　炙草二钱　黄连二钱　木香一钱半　白术二钱

【煎法及用法】　共研细末，炼蜜为丸，每丸二钱重。用开水冲下，一日两次。

【提示】　以上剂量按成人拟定，小儿按年龄酌减。

【出处】　（《青海中医验方汇编》）。

【主治】　急性肠胃炎（发热呕吐下利）。

【方药】　粉葛一两　黄芩四钱　川连一钱　甘草四钱　滑石二两　泽泻四钱　猪苓四钱

【制法】　加水四百毫升，煮成二百毫升，滤渣，装瓶内备用。

【用法】　成人量，内服每次三十毫升，一至二岁小儿，每次十毫升，日服三次。

【提示】　某年夏秋，曾用此方治愈患者很多。

【出处】　商专孙玉秀（《河南省中医秘方验方汇编》续二）。

附：上吐下泻

【主治】　夏日上吐下泻。

【方药】　灶心土一两　川连三钱

【制法】　用川连煎水，泡灶心土，干后研为面。

【用法】　一岁小儿每服一钱，开水送下。

【出处】　新乡胡树玗（《河南省中医秘方验方汇编》续一）。

【主治】　中暑、中寒、时疫、上吐下泻，肚痛头痛。

【方药】　顶上高粱烧酒或杜香烧酒一斤　樟脑一两　食盐三钱

【用法】　将两药浸酒内约一星期，每服一匙，白开水送下。

【提示】　不能饮酒的，服用量可酌减。

【出处】　吴兴市沈梦吟（《浙江中医秘方验方集》第一辑）。

【主治】 上吐下泻。

【方药】 藿香一两 陈皮五钱

【用法】 水煎温服。

【提示】 吐有热吐（食入即吐），宜加味温胆汤；有冷吐（朝食暮吐），宜加味理中汤；有食吐（胃不和），宜加味平胃散；胃有瘀血呕吐（呕吐失神），宜四物汤加芥穗。而此方重用藿香，藿香辛甘微温，入手足太阴，快气和中，开胃止呕，胃弱胃热而呕者禁用；陈皮辛能散，苦能燥能泻，温能补能和，同补药则补，同泻药则泻，同升药则升，同降药则降，为脾肺气分之药，调中快隔，导滞消痰，利水破癥，宣通五脏，皆取其理气燥湿之力。此方若是胃强有寒或者可用，对胃弱胃热者不可用。

【出处】 西安市中医学会会员赵伯和（《中医验方秘方汇集》）。

【主治】 吐泻。

【方药】 鸡蛋一个 胡椒七粒

【制法】 将蛋刺一小孔，放胡椒于内，以纸封口，微火煮熟。

【用法】 好酒送服。

【出处】 孝感专署（《湖北验方集锦》第一集）。

【主治】 一切吐泻。

【方药】 枯矾一钱 食盐五钱

【用法】 冲水服。

【出处】 建始县（《湖北验方集锦》第一集）。

【主治】　吐泻因于热者。

【方药】　绿豆粉　白糖各二两

【制法】　二味拌匀，加醋数滴。

【用法】　分一至二次，开水冲服。

【出处】　孝感县（《湖北验方集锦》第一集）。

【主治】　中蛊毒吐泻。

【方药】　大蒜一个　雄黄五分

【制法】　共捣如泥。

【用法】　开水冲服。

【出处】　郧西县（《湖北验方集锦》第一集）。

【主治】　吐泻。

【方药】　净黄土一块　明矾五钱

【制法】　将黄土、明矾放入锅内炒热，兑水搅匀。

【用法】　澄清饮之。

【出处】　郧西县（《湖北验方集锦》第一集）。

【主治】　吐泄。

【方药】　①藿香　苏梗各三钱

②藿香　陈皮各三钱

【用法】　水煎服。

【出处】　子娄石品三（《祁州中医验方集锦》第一辑）。

【主治】　吐泻。

【方药】　生姜三片　陈米一勺　细茶一勺

【制法】　水煎。

【用法】　内服。

【出处】　大冶县（《湖北验方集锦》第一集）。

【主治】　上吐下泻，腹部微痛或转筋。

【方药】　镜面砂一钱五分　粉甘草面一钱　薄荷冰三分　冰片二分五厘

【制法】　共为细面密贮。

【用法】　每次服五分，每小时服一次，重者半小时服一次，最好在服药前，先刺尺泽穴放出黑紫色血液。

【出处】　安阳马顺卿、郭清源（《河南省中医秘方验方汇编》续一）。

【主治】　中暑（忽然昏倒不知人事，或上吐下泄等症）。

【方药】　红樟树梢七个　辣马椒草梢七个　黄荆柴梢三个　算盘子柴梢七个

【制法及用法】　上四味搓烂，捻自然汁，用凉水灌服即醒。

【出处】　贵溪卫协分会周双兴（《江西省中医验方秘方集》第三集）。

【主治】　中暑吐泄，发冷发热。

【方药】　火香三钱　苏叶二钱　腹皮三钱　枳壳三钱　柴胡三钱　黄芩三钱　云苓四钱　川朴三钱　砂仁三钱　檀香三钱　车前子三钱　白术三钱　滑石六钱　木瓜三钱　香茹三钱　甘草一钱

半　清复三钱　竹茹三钱　生姜三片　大枣三枚　伏龙肝一块

【用法】　先将伏龙肝（即灶心土）一块，用清水打澄，倒出煎服。

【治验】　阎洛福等三十五人。

【出处】　崔庆轩（《祁州中医验方集锦》第一辑）。

【主治】　夏月伤暑，恶寒发热，无汗口渴泄泻。

【方药】　香薷一钱半　扁豆三钱　川朴一钱半　葛根一钱半白术三钱　云苓三钱　甘草一钱

【用法】　水煎两次，先后温服。

【出处】　陈静安（《崇仁县中医座谈录》第一辑）。

【主治】　暑月吐泻交作，汗出腹痛，眼眶内陷，手脚漂凉。

【方药】　附子三钱　干姜一钱　吴萸一钱半　白术三钱　党参三钱　肉桂八分　黄连五分　炙草一钱

【用法】　水煎两次，先后分服（肉桂末分两次调药汁服）。

【出处】　陈静安（《崇仁县中医座谈录》第一辑）。

【主治】　夏天吐泻（即现代肠胃炎）。

【方药】　藿香三钱　青皮一钱半　香薷一钱半　葛根三钱连轺三钱　黄芩三钱　法夏二钱　云苓三钱　米仁三钱　扁豆三钱云连一钱半　薄荷一钱　六一散三钱

【用法】　水煎两次，先后温服。

【出处】　邹梧生（《崇仁县中医座谈录》第一辑）。

【主治】　吐泻。

【方药】　党参二钱　附片二钱　干姜三钱　白术三钱　香薷二钱

【制法】　加童便为引，水煎。

【用法】　每日一剂，作三次服。

【出处】　孝感专署（《湖北验方集锦》第一集）。

【主治】　吐泻。

【方药】　扁豆一两　木瓜三钱　绿豆一两　黄连二钱　香薷二钱

【制法】　共煎。

【用法】　每日三次（一剂）。

【出处】　孝感专署（《湖北验方集锦》第一集）。

【主治】　呕泻，少腹痛、肢冷、舌白者。

【方药】　干姜　附片　甘草　肉桂各一钱　黄连二钱

【制法】　水煎。

【用法】　内服。

【出处】　胡行扬（《中医采风录》第一集）。

【主治】　腹痛吐泄。

【方药】　桂枝三钱　灵脂五钱　香附三钱　郁金三钱　甘草一钱

【用法】　水煎服。

【出处】　安国郑章村安振芳（《祁州中医验方集锦》第一辑）。

【主治】 暴吐暴泻，头热自汗，四肢逆冷，眼如脱目色青，形呆神昏，舌赤液干，手足蠕动。

【方药】 生龟板一两　生鳖甲四钱　海淡菜二钱　杭寸冬六钱　制参二钱　白芍二钱　阿胶三钱　干地黄六钱　生龙骨八钱　生牡蛎八钱

【制法】 水煎浓汁。

【用法】 频服，小儿按病情减量。

【出处】 孝感专署（《湖北验方集锦》第一集）。

【主治】 初起吐泻，头痛、腹鸣、脉数、口渴或不渴、发热或不热。

【方药】 枇杷叶五钱　生石膏八钱　海蛤粉六钱　大贝母三钱　射干片三钱　绿豆衣六钱　贯众片三钱

【制法】 水煎，先煎石膏，后纳诸药。

【用法】 口服三次。

【出处】 孝感专署（《湖北验方集锦》第一集）。

【主治】 吐泻。

【方药】 鲜石斛三钱　生赭石三钱　枇杷叶三钱　白术三钱　茯苓二钱　生牡蛎五钱　川黄连四钱

【制法】 水煎。

【用法】 内服。

【出处】 孝感专署（《湖北验方集锦》第一集）。

【主治】 吐泻。

【方药】 白术三钱　法半夏三钱　藿香三钱　川连二钱　黄

芩二钱　香菇三钱　吴萸一钱　栀子二个

【制法】　共煎。

【用法】　服三次有效（冬天吴萸改用二钱，春、夏天黄连还可加量）。

【出处】　孝感专署（《湖北验方集锦》第一集）。

【主治】　吐泻。

【方药】　丹参三钱　北条参三钱　郁金一钱　茯苓二钱　砂壳一钱　川贝一钱五　阿胶三钱　泽泻一钱五　猪苓一钱五　荷叶蒂二个　杵头糠

【用法】　水煎服。

【出处】　大冶县（《湖北验方集锦》第一集）。

【主治】　吐泻（严重失水，口渴）。

【方药】　生地五钱　寸冬五钱　白芍五钱　阿胶六钱　鳖甲三钱　龟板五钱　牡蛎五钱

【制法】　水煎。

【用法】　当茶饮。

【出处】　大冶县（《湖北验方集锦》第一集）。

【主治】　吐泻。

【方药】　党参二钱　焦术三钱　茯苓二钱　甘草一钱　砂仁一钱　广香一钱　煨葛根一钱

【制法】　水煎。

【用法】　内服。

【出处】　黄陂县（《湖北验方集锦》第一集）。

【主治】　吐泻绿水，失水过多，烦渴，肢厥，脉沉细。

【方药】　附片三钱　干姜二钱　砂仁二钱　京夏二钱　黄芪二钱　白术二钱　吴萸一钱　川椒五分　乌梅四个

【制法】　水煎。

【用法】　以上为成人的一日量。内服，每日服三次，外用黄连二钱，开水泡，取汁兑服。

【出处】　建始县（《湖北验方集锦》第一集）。

【主治】　湿热吐泻。

【方药】　炒苍术三钱　黑玄参四钱　生甘草一钱半　伏龙肝一块

【制法及用法】　取灶心土一小块（即伏龙肝），研开，白水冲之，俟土渣澄下后，取水煎药。空腹时服两煎，次日再服一剂，吐泻即止。早晚饭前都可服。

【禁忌】　生冷瓜果之类。

【出处】　武乡县郝印斗、张汗杰（《山西省中医验方秘方汇集》第二辑）。

【主治】　外中暑热内伤，饮食吐泻交作。

【方药】　香薷三钱　扁豆二钱　砂仁二钱　紫蔻二钱　苍术二钱　肉蔻二钱　诃子二钱　乌梅三钱　滑石三钱　车前二钱　丁香一钱半　竹茹二钱　降香二钱　藿香二钱　半夏二钱　广皮二钱　云苓一钱　甘草二钱

【用法】　水煎服。

【出处】　阳原县梁兴汉（《十万金方》第二辑）。

六、腹膜炎

　　腹膜炎主要表现为腹痛、腹肌紧张，以及恶心、呕吐、发热，严重时可导致血压下降和全身中毒性反应，如治疗不及时可引起中毒性休克。

　　腹膜炎多是因为细菌感染、化学刺激或损伤所引起，是外科常见的一种严重疾病，不可轻视，建议及时就医。

　　【主治】　腹膜炎。

　　【方药】　生白芍二两　生甘草一两

　　【用法】　水煎服三次。孕妇忌服。

　　【出处】　乾安县韩国福（《吉林省中医验方秘方汇编》第三辑）。

　　【主治】　结核性腹膜炎。

　　【方药】　柴胡二钱　贡白术二钱　茯苓二钱　半夏一钱五分　猪苓一钱五分　泽泻一钱五分　山楂肉一钱五分　三棱一钱五分　莪术一钱五分　人参一钱　黄连一钱　甘草八分

　　【用法】　水煎服三次。孕妇忌服。

　　【出处】　吉林师大周兰泽（《吉林省中医验方秘方汇编》第三辑）。

七、便血

便血是指血液从肛门排出，使粪便颜色呈鲜红、暗红或柏油样。便血并非一种疾病，而是疾病反映出来的一个症状。

中医认为，肠风、脏毒，有热、有寒均可导致便血。西医则认为，便血多见于下消化道出血，特别是结肠与直肠病变引起的出血，需引起重视。

【主治】 大便出血。

【方药】 刺猬皮一个

【制法】 烧灰，研细末。

【用法】 麻油调，开水冲服。

【治验】 效验很好。

【出处】 沽源县（《十万金方》第一辑）。

【主治】 便血。

【方药】 枯树皮（蜜炒）一两

【用法】 水煎服。

【出处】 涞源县贾之俊（《十万金方》第六辑）。

【主治】 大便下血。

【方药】 椿根皮四两

【制法】 帮砂锅焙椿根皮成酱色，轧为细末，炼蜜为丸，每丸重三钱。

【用法】 日服，早晚服一丸。

【出处】 保定市魏介民（《十万金方》第六辑）。

【主治】 大便前后下血。

【方药】 血余炭一两

【制法】 研为细末，黄醋一两五钱，火上化开和丸，如桐子大。

【用法】 每日早晚，各服十丸，用川军六钱，川芎六钱二味，炒后泡水送此丸，此引是一付用量，每次引用不要太多。

【出处】 沽源县（《十万金方》第六辑）。

【主治】 不论远血近血，以及大便带血。

【方药】 茜草一两

【用法】 水煎顿服，连服三日。

【出处】 沽源县（《十万金方》第六辑）。

【主治】 大便下血。

【方药】 柿饼子一个　红糖五钱

【用法】 水煎服。

【治验】 很有效验。

【出处】 阳原县陈尚亭（《十万金方》第六辑）。

【主治】　大便下血不止，久而不愈。

【方药】　东南石榴皮_{半斤炒}

【制法】　制为细末。

【用法】　每服三钱，白开水送下。

【出处】　彭城镇胡文生（《十万金方》第十二辑）。

【主治】　大便下血。

【方名】　民间效方

【方药】　黑豆（马料豆）_{二三两}

【用法】　用水煮熟，余汤一碗，饭前服下，随便吃豆子。

【出处】　安国县崔儒卿（《十万金方》第十二辑）。

【主治】　肠风下血，脏毒下血。

【方名】　黑神散

【方药】　干柿饼_{三个}

【制法】　烧成炭。

【用法】　将炭为末，每服二钱，米饮送下，日三服。

【出处】　唐山市吴晓峰（《十万金方》第十二辑）。

【主治】　多年的大便下血。

【方药】　苦参

【制法】　将苦参炒黄为细面，每服一钱。

【用法】　每日服一次，每次一钱，引用米汤送下。

【出处】　怀来县李德昶（《十万金方》第十二辑）。

【主治】 大便下血。

【方药】 黑豆（马料豆）三两

【用法】 用水煮熟余汤一碗，饭前服下，随便吃豆子。

【治验】 崔大军，时下血，服一次愈。共治愈十余人。

【出处】 安国流昌崔儒卿（《祁州中医验方集锦》第一辑）。

【主治】 大便下血。

【方药】 炒椿根白皮一两

【用法】 共为细末，分三次服，白糖为引，白开水送下，早晚服。

【治验】 本村肖某某等人皆一料即愈。

【出处】 子娄肖汉三（《祁州中医验方集锦》第一辑）。

【主治】 大便下血。

【方药】 地榆炭一两

【用法】 为末，分四次服，白开水送下，二日服完。

【治验】 本村王某某等多人，皆服此方二日得痊。

【出处】 子娄汉三（《祁州中医验方集锦》第一辑）。

【主治】 先便后血。

【方药】 生白鸡冠花二两

【用法】 水适量炖服，日服一次，连服十天即愈。

【出处】 南靖县灯塔社罗亿通（《采风录》第一集）。

【主治】 大便下血。

【方药】 黑槐花五钱

【用法】 用水适量煎服，连服二次即愈。

【禁忌】 孕妇忌服。

【出处】 南靖县超英社陈培英（《采风录》第一集）。

【主治】 大便下血。

【方药】 豆腐末入袋取浆，数量不拘

【用法】 将浆炒煎至黄色为度，每服三钱，日服三次。血紫色者用白糖调服，血红色者用红糖调服。

【出处】 南靖县乘东风公社梧宅队林得导（《采风录》第一集）。

【主治】 大便先便后血。

【方药】 木耳一两

【用法】 将木耳用新瓦焙干，研末，每服一钱，调气酒服。

【出处】 长泰县杨德源（《采风录》第一集）。

【主治】 便后下血。

【方药】 苦参子去壳不拘多少

【用法】 将上药研末，用龙眼干包服，每次成人包五粒，小孩包三粒。

【提示】 此方治赤痢亦佳，服法用量照前方连服二至三天，每天3次。

【出处】 南靖县丰前社陈国华（《采风录》第一集）。

【主治】 大小便出血。

【方药】 生地四两

【用法】 将生地绞汁，调蜂蜜二两服。

【出处】 南靖县龙山公社张国华（《采风录》第一集）。

【主治】 大便下血。

【方药】 百草霜三钱

【用法】 将猪大肠四两，以上药入在肠内，两头扎紧，水适量，炖熟服。

【出处】 长泰县古农共进社后边杨廷尊（《采风录》第一集）。

【主治】 便血。

【方药】 龙芽草根

【用法】 切碎同鸡蛋炖服。

【提示】 龙芽草，色黄者名金顶龙芽，色紫者名紫顶龙芽。根有白芽，尖圆似龙牙，老者色黑，故亦名铁胡蜂。九月便枯，能治吐血、便血诸症。

【出处】 霞浦县林向春（《福建省中医验方》第二集）。

【主治】 肠风下血。

【方药】 苦参子（去壳）七枚

【用法】 包入龙眼肉里内服。

【出处】 建瓯县张集升（《福建省中医验方》第三集）。

【主治】　大便带血。

【方药】　生马蹄金（红管者才有效）

【用法】　捣烂，取汁半茶杯，冲醇泔服即止。

【禁忌】　忌茶。

【出处】　福清县俞慎初（《福建省中医验方》第三集）。

【主治】　便血。

【方药】　白椿树根皮一两

【用法】　蜜炙，水煎服。

【出处】　裴子珍（《河南省中医秘方验方汇编》）。

【主治】　便血。

【方药】　鲜小蓟二斤

【制法】　捣汁过滤。

【用法】　水冲服（身体弱者慎用之）。

【出处】　李长和（《河南省中医秘方验方汇编》）。

【主治】　便血。

【方药】　丹凤眼子若干

【制法】　焙焦为末。

【用法】　开水冲服。

【出处】　曲天增（《河南省中医秘方验方汇编》）。

【主治】　肠风便血及痔疮出血。

【方药】　槐树根白皮四两

【用法】　将槐树根白皮洗净煎水，煮饭吃，连用十余次效。

【出处】 岳阳县中医傅辉吾（《湖南省中医单方验方》第二辑）。

【主治】 肠风便血，大便干燥者。

【方药】 干柿三枚烧炭，和蜜拌萝卜食之。

【用法】 如上。

【出处】 慈利县中医谭月僧（《湖南省中医单方验方》第二辑）。

【主治】 大便前后下血，年久不愈。

【方药】 酸枣根一两

【制法及用法】 刮去黑皮焙干，用水一碗煎到一茶杯。温服，一次就好。尚如不止，隔七天再服一剂，永不复发。

【出处】 孝义县任士义（《山西省中医验方秘方汇集》第二辑）。

【主治】 便血。

【方药】 黑木耳五钱

【用法】 煨，每服五钱，连服五七天。

【出处】 西宁中医院何文德（《中医验方汇编》）。

【主治】 肠风便血。

【方药】 樗根白皮六钱

【制法】 用面包蒸熟晒干，研末蜜和丸。

【用法】 分两次，以开水冲服。

【出处】　西安市中医进修班陈子明（《中医验方秘方汇集》）。

【主治】　大便下血。
【方药】　柿饼七个
【制法】　麻油炸焦，食之。
【出处】　西安市中医进修班陈子明（《中医验方秘方汇集》）。

【主治】　大肠下血。
【方药】　仙鹤草三钱
【制法】　温酒浸泡一天。
【用法】　去渣，服用酒浸液。
【出处】　胡玉森（《贵州民间方药集》增订本）。

【主治】　肠风下血。
【方药】　臭椿树根皮六两
【制法】　水三碗煎。
【用法】　分三次服。
【出处】　孝感专署（《湖北验方集锦》第一集）。

【主治】　肠风下血。
【方药】　丝瓜藤
【制法】　烧枯研细。
【用法】　冲酒服。
【出处】　孝感专署（《湖北验方集锦》第一集）。

【主治】 大小便下血。

【方药】 鲜大蓟根十一两

【制法】 烧存性为末。

【用法】 开水冲服。

【出处】 孝感专署（《湖北验方集锦》第一集）。

【主治】 肠风下血或脓血。

【方药】 苦参二两

【制法】 共研细末，炼蜜为丸。

【用法】 每次一钱，一日二次。用玄参三钱，椿根皮一两，柿饼煎汤送服。

【出处】 郧西县（《湖北验方集锦》第一集）。

【主治】 肠风下血。

【方药】 茄蒂

【制法】 烧灰。

【用法】 米汤送下。

【出处】 鄂城县（《湖北验方集锦》第一集）。

【主治】 肠风下血。

【方药】 柿饼

【制法】 烧灰。

【用法】 每次服二钱，开水送下。

【出处】 鄂城县（《湖北验方集锦》第一集）。

【主治】 大便下血。

【方药】 槐花一两

【制法】 焙干为末。

【用法】 白糖冲服，久服渐愈。

【出处】 鄂城县（《湖北验方集锦》第一集）。

【主治】 大便下血。

【方药】 鲜臭椿树根皮一两

【用法】 煎汤服。

【提示】 椿根白皮长于收涩作用，《普济方》用治血痢下血，《儒门事亲》方用治脏毒下血。

【出处】 崇德县卫协会（《浙江中医秘方验方集》第一辑）。

【主治】 大便泻血。

【方药】 缩砂仁末二钱

【用法】 每晨空腹时服二钱，用米饮热服，连服七天有效。

【出处】 杭州市董浩（《浙江中医秘方验方集》第一辑）。

【主治】 肠风下血，不论粪前粪后皆效。

【方药】 豆腐渣

【用法】 锅内炒燥研末，每服三钱，紫血块用白糖汤下，血色鲜红用砂糖汤下，每日三服，虽远年垂危亦效。

【出处】 曹炳章旧抄本（《浙江中医秘方验方集》第一辑）。

【主治】　吐、衄、便血。

【方药】　嫩柏树子数十颗

【制法】　将药和冷饭冲烂。

【用法】　贴头门，干后再换。

【出处】　邹建业（《中医采风录》第一集）。

【主治】　大便下血（百药无效者）。

【方药】　苦参子（鸦胆子）五至七粒

【用法】　以龙眼肉包苦参子与米醋吞服。

【提示】　此方系秘方。

【出处】　于都樟山肖宏照（《中医名方汇编》）。

【主治】　大便下血。

【方药】　槐花树根皮八钱

【制法】　焙干研末。

【用法】　用白糖开水或米汤吞服。

【禁忌】　忌酒。

【出处】　岳池县赵仕成（《四川省医方采风录》第一辑）。

【主治】　大便下血。

【方药】　鲜地柏枝草四两

【用法】　炖猪颈肉服，连服三次即愈。

【出处】　酉阳县田柯亭（《四川省医方采风录》第一辑）。

【主治】　肠风出血久治无效，很是严重，服此有效。

【方药】　鸦胆子十粒　元肉一钱

【制法】　鸦胆子研面用元肉包裹之，此为一次量。

【用法】　日服两次，用酒为引送下。

【治验】　处长地李买，男，45岁，患此病久治无效，后服此方而痊愈。

【出处】　康保县处长地村申明久（《十万金方》第一辑）。

【主治】　大便下血。

【方药】　木耳四两　白糖四两

【制法】　先将木耳用水泡开，上锅煮熟，用白糖拌好。

【用法】　慢慢吃完。

【出处】　阳原县（《十万金方》第六辑）。

【主治】　大便下血。

【方药】　猪腿四个　荞麦面四两

【制法】　用猪胆汁合荞麦面为丸，如梧桐子大。

【用法】　每次服二钱，白开水送下。

【出处】　定县张全倍（《十万金方》第十二辑）。

【主治】　大便下血不止。

【方药】　槐角二斤　黑糖一斤

【制法】　用水三碗，先将槐角入内，煎至三分之二，再将黑糖入内，调和即可。

【用法】　每次服药半两，可频频服下。

【出处】　峰峰矿区山底村张有禄（《十万金方》第十二辑）。

【主治】　大便下血。

【方名】　二花汤

【方药】　槐花　栗子花各五钱

【用法】　水煎服。

【出处】　唐山市陈玉海（《十万金方》第十二辑）。

【主治】　大便下血，日久不愈。

【方药】　鸦胆子二十六粒　元肉三钱

【用法】　鸦胆子去壳，用元肉包上服下，服四次即愈。

【出处】　解营徐维祯（《祁州中医验方集锦》第一辑）。

【主治】　泻血。

【方药】　胡桃肉四两　黄蜡一钱

【用法】　研细调为丸，每服三钱。

【出处】　长乐县林冠人（《福建省中医验方》第二集）。

【主治】　多年便血。

【方药】　龙眼肉半斤　鸦胆子（去皮）若干

【制法】　元肉包鸦胆子。

【用法】　每日三次，每服七粒。

【出处】　刘世昌（《河南省中医秘方验方汇编》）。

【主治】　便血。

【方药】　好藕一斤　红糖四两

【用法】　切片，拌匀食之。

【出处】　李兴元（《河南省中医秘方验方汇编》）。

【主治】　便血。

【方药】　黑芝麻一斤　红糖一斤

【制法】　黑芝麻炒焦，入红糖拌匀。

【用法】　随便吃。

【出处】　郭智气（《河南省中医秘方验方汇编》）。

【主治】　便血。

【方药】　猬皮（煅灰）一两　头发炭五钱

【制法】　共为细末。

【用法】　每日早晚服一次，每次二钱，白开水加红糖冲服。

【出处】　周炳辰（《河南省中医秘方验方汇编》）。

【主治】　便血。

【方药】　猪大肠子头一个洗净　建莲子适量

【制法】　将莲子装入肠内，线扎两头，煮熟。

【用法】　一次或数次吃完。

【出处】　长垣杨华林（《河南省中医秘方验方汇编》续一）。

【主治】 便血日久不愈。

【方药】 赤小豆（养成芽阴干）二两　当归一两

【制法】 共为细末。

【用法】 每服一钱，一日服二次，开水冲服。

【出处】 邵耀先（《河南省中医秘方验方汇编》续一）。

【主治】 便血日久。

【方药】 槐花二两　柿饼三个

【制法】 将二味用慢火焙焦，研为细末。

【用法】 每日两次服用，每服二钱，开水送下。

【出处】 滑县杨永久（《河南省中医秘方验方汇编》续一）。

【主治】 先便后血，大便正常，肛门无痔，久治不愈者。

【方药】 真乌梅肉一两五钱　原僵蚕一两

【用法】 放新瓦上，火上焙枯存性，共研细末用。用时将药末放碗内，加热饭捣和，搓为小丸如梧桐子大。每次用三四钱，食前开水吞服，每日三次。

【出处】 湖南省立中医院内科医师言庚孚（《湖南省中医单方验方》第二辑）。

【主治】 便血由于大便干燥，肛门破裂，或内痔者。

【方药】 柿饼十只　菜油四两

【用法】 煎好服之。

【出处】 常德市中医廖仲颐（《湖南省中医单方验方》第二辑）。

【主治】　大便前后便血，经久不愈。

【方药】　山栀（炒黑）一两　川黄连（土炒）六钱

【用法】　以上二味药共为细末，每日早米汤送服三钱。

【出处】　五寨县韩廉（《山西省中医验方秘方汇集》第二辑）。

【主治】　肠炎便血。

【症状】　大便一日数次下血，如腹泻形。

【方药】　黄芪四两　防风一钱

【用法】　水煎服。

【出处】　离山王保琭（《山西省中医验方秘方汇集》第三辑）。

【主治】　肠风下血。

【方药】　杨奶茨根　牛婆奶根各一两

【制法】　炖猪直肠，去渣取汁。

【用法】　内服。

【出处】　黄有仁（《中医采风录》第一集）。

【主治】　肠风下血。

【方药】　猪腰子一个　皂角刺七颗

【制法】　将刺插腰上，用菜叶包裹烧熟去刺，猪腰切碎（忌铁器）。

【用法】　和白糖内服，重者连服三次可愈。

【出处】　伍征良（《中医采风录》第一集）。

【主治】　大便下血。

【方药】　①楮子树根八两　椿树根一斤　煎水吃，一日三次，每次一碗，四五日愈。

②鸦胆子　用桂圆肉包好吞服即愈。

③桑树根一两　苦主树根一两　椿树根一两　煎水做茶吃，特效。

④当归五钱　白芍五钱　生地四钱　柏叶四钱　槐花五钱　黑芥二钱

共研细末，每天早、晚各服二钱，开水送下，轻则一料，重则二料。

【出处】　新建卫协分会（《江西省中医验方秘方集》第三集）。

【主治】　大便屙血。

【方药】　藕节五钱　白果一两

【用法】　研末冲开水，分三次服，或用猪肺炖好，将药末冲服。

【提示】　非外感者才可加用猪肺汤。

【出处】　江西瑞金（《中医名方汇编》）。

【主治】　肠风下血。

【方药】　扁柏叶1斤　青州柿饼1斤

【用法】　炒扁柏叶以蜜浸一宿，晒干研成末；柿饼用炭火煅过，研成末，二味拌和。每次服五钱，以陈酒送下。

【出处】　江西瑞金廖旭东（《中医名方汇编》）。

【主治】　肠风下血。

【方药】　椿根白皮　炙芪各等分

【用法】　水煎服。

【出处】　朱伯超（《大荔县中医验方采风录》）。

【主治】　久便血（俗名血屎痨）。

【方药】　柿饼四个　红糖四两

【制法】　将前二味用锅煮。

【用法】　连药带汤顿服，可连服三次。

【出处】　西安市中医进修班焦伟卿（《中医验方秘方汇集》）。

【主治】　大便下血、年久不愈者。

【方药】　柿饼八个　灶心土二两

【制法】　柿饼用灶心土炒熟。

【用法】　令病人早晚食柿饼，每次两个。

【出处】　西安市中医学习班常建志（《中医验方秘方汇集》）。

【主治】　大肠下血，便后流血如注。

【方药】　鹅儿肠二钱　青藤香二钱

【制法】　炖猪肉半斤。

【用法】　汤肉服用。

【出处】　马树青（《贵州民间方药集》增订本）。

【主治】　大肠下血。

【方药】　老虎姜一两　新鲜红牛皮菜半斤

【制法】　炖猪大肠。

【用法】　汤肉服用。

【出处】　晋德元（《贵州民间方药集》增订本）。

【主治】　大肠下血及内痔外痔。

【方药】　血当归叶二钱　岩莲花一钱

【制法】　煮酒。

【用法】　内服酒汁；同时另取血当归叶少许捣烂，敷塞患处，能治外痔。

【出处】　王治平（《贵州民间方药集》增订本）。

【主治】　大肠下血。

【方药】　川芎　槐米各二两

【制法】　微炒焦，研末。

【用法】　开水冲服，每次五钱，每日服三次。

【出处】　孝感专署（《湖北验方集锦》第一集）。

【主治】　肠风下血。

【方药】　乌梅　炒僵蚕各三钱

【制法】　共研末，醋为丸。

【用法】　每次服一钱五分，每日服三次。

【出处】　孝感专署（《湖北验方集锦》第一集）。

【主治】　大便下血。

【方药】　葵花梗心_{尺余}　猪肉_{半斤}

【制法】　同煨，不放盐。

【用法】　去葵梗，食肉饮汤。

【出处】　孝感专署（《湖北验方集锦》第一集）。

【主治】　肠风下血。

【方药】　猪尾肠_{一尺}　白莲肉_{二两去心不去皮}

【制法】　莲子入肠内煮熟。

【用法】　一次或分次食用。

【出处】　孝感专署（《湖北验方集锦》第一集）。

【主治】　便血。

【方药】　黑木耳_{五钱}　红糖_{一两}

【用法】　煨服。

【出处】　孝感专署（《湖北验方集锦》第一集）。

【主治】　便血。

【方药】　荆芥炭_{三钱}　槐花二钱

【制法】　水煎。

【用法】　内服。

【出处】　孝感专署（《湖北验方集锦》第一集）。

【主治】　大便痢血，小便尿血，无论新久。

【方药】　细生地_{一两}　地榆炭_{一两}

【制法】　煎浓汁。

【用法】 早、中、晚饭前服药，每次一大茶杯。

【禁忌】 忌生冷、辛辣、荤燥、滞物。

【出处】 孝感专署（《湖北验方集锦》第一集）。

【主治】 肠风下血。

【方药】 红砂糖二斤　臭椿树根皮（以田畔上野生者为佳）一斤

【制法】 先将椿树皮洗净泥土，置锅中，加水十碗，用文武火煎出浓汁，过滤去渣，再将浓汁倾锅中，加入红糖煎开，以溶解为度，再滤一次，用文火熬成膏。

【用法】 成人每次一汤勺，开水冲服，日三次（早、中、晚），小儿根据年龄、体质酌量减少。小儿服药怕苦时，可加红糖。

【出处】 孝感专署（《湖北验方集锦》第一集）。

【主治】 肠风下血。

【方药】 槐子二两　猪直肠一条

【制法】 先将槐子放猪肠内，两头扎好，用水煮熟。

【用法】 去药食肉。

【出处】 京山县（《湖北验方集锦》第一集）。

【主治】 肠风下血。

【方药】 火麻仁五钱　黄荆子五钱

【制法】 共研细末。

【用法】 调蜂糖开水送下。

【出处】 建始县（《湖北验方集锦》第一集）。

【主治】 肠风下血。

【方药】 荆芥二钱　当归四钱

【制法】 水煎。

【用法】 内服，日二次。

【出处】 沔阳县（《湖北验方集锦》第一集）。

【主治】 便血。

【方药】 岩白菜一把　母鸡一只

【用法】 同煨，连汤食之，即可止血。

【出处】 沔阳县（《湖北验方集锦》第一集）。

【主治】 便血。

【方药】 大柿饼一个　青黛二钱

【用法】 将柿饼剖开，入青黛在内，置饭上蒸熟食之。

【出处】 沔阳县（《湖北验方集锦》第一集）。

【主治】 肠风下血。

【方药】 赤石脂四两　禹粮石四两

【制法】 共研细末。

【用法】 每服三钱或四钱，地榆煎水冲服。

【出处】 鄂城县（《湖北验方集锦》第一集）。

【主治】 大便下血。

【方药】 柿饼煨炭　陈棕榈炭各二钱

【用法】 研极细末，开水冲服。

【提示】 柿饼即柿干，有涩肠、消腹中宿血、止痔漏下血等作用，配合长于止血的陈棕炭，对便血有效。

【出处】 吴兴县凌拙甚（《浙江中医秘方验方集》第一辑）。

【主治】 便血。

【方药】 椿皮二两　红糖二两

【用法】 水煎服三次。

【出处】 高宜民（《吉林省中医验方秘方汇编》第三辑）。

【主治】 肠风便血，腹不痛者。

【方药】 鲜地栗（即荸荠）四两　陈酒二两

【用法】 将地栗去皮，磨细，用绢包绞取汁，再加入黄酒烫温，临睡时服，可连服七至八天。

【提示】 便血而腹痛者不宜服。

【出处】 金华市许锡珍（《浙江中医秘方验方集》第一辑）。

【主治】 肠风下血。

【方药】 槐米四两　南枣一斤

【用法】 将水适量，先煮槐米数沸，入南枣煮至水干，去槐米吃南枣，每日十余枚，代点心吃。

【出处】 杭州市董浩（《浙江中医秘方验方集》第一辑）。

【主治】 肠风下血。

【方药】 狗牙瓣叶四钱　酒醋一两

【制法】 将辨叶置醋内泡一天，去渣取汁，加盐少许。

【用法】 内服。

【出处】 徐金山（《中医采风录》第一集）。

【主治】 吐血、便血、子宫出血。

【方药】 鹿胶三钱　三七炭一钱

【用法】 共为细末，用开水冲服。

【出处】 庞逸仙（《吉林省中医验方秘方汇编》第三辑）。

【主治】 大便下血。

【方药】 红胭脂花根二两　黄糖二两

【用法】 炖猪肉吃，吃三次即愈。

【出处】 安县贾天荣（《四川省医方采风录》第一辑）。

【主治】 大便下血。

【方药】 小麦火烟包一两　地榆二两

【用法】 用水煎服。

【出处】 安县王兴顺（《四川省医方采风录》第一辑）。

【主治】 大便下血。

【方药】 马槟榔二两　百草霜（酒醋炒七次）二两

【用法】 将药放在鸭肚内，蒸熟食。

【出处】 奉节县周其祥（《四川省医方采风录》第一辑）。

【主治】 大便下血。

【方药】 椿树白皮半斤 梨四个 仙人头（即结过子的白萝卜）两个

【制法】 把仙人头和椿树皮切片水煎，去滓；再把梨用刀切碎捣烂，用纱布包，拧汁去渣。

【用法】 混合内服。

【出处】 获鹿县康学勤（《十万金方》第一辑）。

【主治】 大便下血。

【方药】 椿根皮二两 当归五钱 乌梅五钱

【制法】 水煎二次。

【用法】 早晚各饮一次，即愈。

【出处】 张专涿鹿县杨隐之（《十万金方》第一辑）。

【主治】 大便下血。

【方药】 椿根白皮四两 大梨一个 生姜五钱

【制法】 用水三大碗，煮取一碗。

【用法】 分二次温服。

【禁忌】 辛辣刺激性饮食物。

【治验】 刘涛，男，60岁，患此症日久医治无效，服此方三剂而愈。另外还有十余人服此方痊愈。

【出处】 赤城县张馨川（《十万金方》第一辑）。

【主治】 大便下血经久不止，便前便后皆带血，疼痛难忍。

【方药】 椿白皮四两 柿饼子四两 黑糖四两

【制法】 椿皮为细面，柿饼切碎入水煮为稀粥，加入黑糖和椿皮面为丸，每丸三钱重。

【用法】 每次服二丸，白水送下。

【禁忌】 忌辛辣油腻烟酒等物。

【治验】 治愈马营乡大水坑村申怀礼的十年下血症，服此药二料。

【出处】 赤城县王希武（《十万金方》第一辑）。

【主治】 大便下血，日久不愈。

【方药】 鲜椿皮（洗净）四两　红肖梨一斤　鲜姜四两

【制法】 捣烂水煎。

【用法】 日服两次。

【出处】 涿县刘宗庆（《十万金方》第六辑）。

【主治】 肠风下血。

【方药】 槐花炒一两　郁金　豆豉各三钱

【制法】 共研末。

【用法】 每服三钱，水煎服。

【出处】 乐亭苑子明（《十万金方》第十二辑）。

【主治】 大便下血。

【方名】 椿皮汤

【方药】 椿根白皮四两　酒川军二钱　党参一两

【制法】 将椿根切碎，用红糖炒焦，再和药一同煎服。

【用法】 水煎服。

【出处】 峰峰朱日峰（《十万金方》第十二辑）。

【主治】 大便下血，无论远年近日，远血近血，或轻或重，只是大便出血即可。

【方药】 鲜椿根皮 (南墙根下的椿树根，去老皮) 半斤　鲜梨 (去核) 一个　鲜姜二两

【用法】 将各药同入砂锅内，用水煎服。

【治验】 流双村李洛信，男，五十六岁，患大便下血，服他药无效，经服此药一剂即愈。又康庄刘洛太太，年六十岁，患大便下血，久治不愈，服此药一剂即轻，四剂痊愈。

【出处】 先锋人民公社医院李鹤鸣 (《祁州中医验方集锦》第一辑)。

【主治】 大便下血。

【方药】 龙元肉三钱　柴油桂一钱　去皮鸦胆子十粒

【用法】 共捣为泥丸，装入胶囊内，白水冲服。

【治验】 李村店多人。

【出处】 安国路根村李焕然 (《祁州中医验方集锦》第一辑)。

【主治】 肠风下血。

【方药】 黑地榆一钱　熟地一钱五分　黑槐花一钱

【用法】 水酒各半，用猪大肠头或猪赤肉和上药炖服之。

【出处】 南靖县乘东风社陈仲元 (《采风录》第一集)。

【主治】 大便下血，先血后便。

【方药】 当归四钱　赤小豆芽四钱　荆芥灰二钱

【用法】 将上药用开水炖一小时久服，连服七天，每天

服二次。

【出处】　南靖县超美公社金联吴鱼时（《采风录》第一集）。

【主治】　饮酒过多，中酒毒而引起二便下血。

【方药】　黑槐花五分　生槐花五钱　山栀子五钱

【用法】　以上三味共研细末，每服二钱，调开水服。

【禁忌】　孕妇忌服。

【出处】　长泰县共进社山重队任尚春（《采风录》第一集）。

【主治】　大便带血。

【方药】　黑槐花二钱　苦参三钱　地榆三钱

【用法】　共研为末，和饭糊为丸，如豆大，饭前用水送下。

【出处】　顺昌县郑绍棠（《福建省中医验方》第三集）。

【主治】　便血。

【方药】　黑茶叶一两　乌梅炭一两　红糖一两

【制法】　共研细末为丸。

【用法】　开水送下。

【出处】　段砚田（《河南省中医秘方验方汇编》）。

【主治】　便血。

【方药】　椿白皮二两　绿豆芽四两　生姜二两

【制法】　捣汁，加红糖二两，炖膏。

【用法】 每日服二次（服量自行斟酌）。
【出处】 岳柳塘（《河南省中医秘方验方汇编》）。

【主治】 便血（粪前粪后有鲜血）。
【方药】 江米八两　白糖四两　生黄精（焙为末）四钱
【制法】 先将江米做成饭，加入黄精末和白糖。
【用法】 当饭吃。
【出处】 密县郭锡三（《河南省中医秘方验方汇编》续一）。

【主治】 便血日久。
【方药】 椿根白皮一两　槐花五钱　白糖一两
【制法】 水煎。
【用法】 内服。
【出处】 濮阳冠卿（《河南省中医秘方验方汇编》续一）。

【主治】 肠风便血，日久不愈。
【方药】 莲肉　桂圆　慈姑（去粗皮）适量
【用法】 共煎当茶服。
【出处】 湘阴县中医巢竞寰（《湖南省中医单方验方》第二辑）。

【主治】 肠风下血。
【方药】 打碗子根　水蜡烛根各三钱　黄连二钱
【制法】 炖猪直肠，去渣取汁。

【用法】　内服。

【出处】　唐中贵（《中医采风录》第一集）。

【主治】　便血。

【方药】　大萝卜皮　荷叶（烧存性）　炒蒲黄等分

【用法】　共为末，每用米饮调下一钱效。

【出处】　宜黄卫协分会陈光表（《江西省中医验方秘方集》第三集）。

【主治】　便血。

【方药】　炒黑荆芥三钱　正云连二钱　莲蓬壳二个

【用法】　水煎服。

【提示】　此方系秘方。

【出处】　江西于都仙下乡汤子莲（《中医名方汇编》）。

【主治】　直肠出血。

【方药】　榆槐汤：地榆（炒）五钱　槐花（炒）五钱　诃子三钱

【用法】　水煎服。

【出处】　西宁中医院马海如（《中医验方汇编》）。

【主治】　大肠下血。

【方药】　红牛克膝五钱　渊头鸡三钱　炒槐花五钱

【制法】　炖五花猪肉半斤。

【用法】　汤肉服用。

【出处】　杨济中（《贵州民间方药集》增订本）。

【主治】 大肠下血。

【方药】 臭椿皮四两 乌梅五钱 仙鹤草二钱

【制法】 加水两大碗，煎汤一小碗。

【用法】 内服。

【出处】 民间流行（《贵州民间方药集》增订本）。

【主治】 肠风下血。

【方药】 槐花五钱 椿树根皮三钱 蜂蜜四两

【制法】 前二味煎成浓汁，去渣。

【用法】 以蜂蜜冲服。

【出处】 孝感专署（《湖北验方集锦》第一集）。

【主治】 大便出血。

【方药】 猪大肠一具 黑木耳二两 鸦胆子（去壳）七个

【制法】 将上药合猪肠炖烂。

【用法】 随量吃。

【出处】 孝感专署（《湖北验方集锦》第一集）。

【主治】 大便下血。

【方药】 地榆炭五钱 侧柏叶炭一两 小麦面粉适量

【制法】 共研末，麦面为丸。

【用法】 每日服三钱。

【出处】 孝感花园（《湖北验方集锦》第一集）。

【主治】 新久便血。

【方药】 灵脂四钱 炒蒲黄二钱 刺猬皮（炒黄）二钱

【制法】 研细末。

【用法】 每日三次，每次一钱，用酒送下。

【出处】 郧西县（《湖北验方集锦》第一集）。

【主治】 肠风下血。

【方药】 贯众三钱　旱莲草五钱　百部根三钱

【制法】 水煎二味，贯众研末冲。

【用法】 内服，日服二次。

【出处】 沔阳县（《湖北验方集锦》第一集）。

【主治】 大便下血。

【方药】 槐花　地榆　贯众炭各等分

【用法】 共为细面，每服三钱，黄酒为引。孕妇忌服。

【出处】 大安县王连魁（《吉林省中医验方秘方汇编》第三辑）。

【主治】 肠风下血。

【方药】 柿饼　生地榆　槐米各五钱

【用法】 水煎，空心服。

【出处】 周岐隐（《浙江中医秘方验方集》第一辑）。

【主治】 一切吐血、呕血、便血。

【方药】 鲜荷叶3~4片　生墨菜（即醴肠草，又名旱莲草）等量　童便一杯

【制法及用法】 荷叶、墨菜采新鲜的，洗净后置干净的石臼内捣极烂，再加温开水一大杯，去渣取汁，冲童便温

服，每次一茶杯。

【禁忌】 忌食热性食物，要充分休息。

【出处】 全南卫协分会（《江西省中医验方秘方集》第三集）。

【主治】 肛门结核或下血。

【方药】 洞肠（即猪肛门口直肠）一个　大黄五钱　鸡蛋二个

【制法及用法】 大黄、蛋均置洞肠内，两头用线缚紧，放水二碗，共炆至熟为度，去大黄，连汤蛋肠一齐吃下。

【禁忌】 辛辣煎炒食物。

【出处】 宜黄潘作棠（《江西省中医验方秘方集》第三集）。

【主治】 大便下血。

【方药】 白蜡四两　鲫鱼（去鳞甲和腹内肠杂）一斤　白糖八两

【用法】 蒸熟吃。

【出处】 北川县卫协会（《四川省医方采风录》第一辑）。

【主治】 大便下血。

【方药】 车前草三株　家芹菜三株　过路黄三株

【用法】 用水煎服。

【出处】 万县专区中医代表会（《四川省医方采风录》第一辑）。

【主治】 大便下血。

【方药】 地骨皮一两　槐皮一两　味草二钱

【用法】　炖猪肉服。

【出处】　大竹县刘仲一（《四川省医方采风录》第一辑）。

【主治】　肠风下血。

【方药】　黑大豆三钱　椿根皮三钱　寸冬三钱　蜂蜜一两

【制法】　将药煎好后，与蜜和匀。

【用法】　温服。

【提示】　本方为经验效方。

【出处】　束鹿县王庆起（《十万金方》第一辑）。

【主治】　大便下血，久之不愈者。

【方药】　生姜汁四两　生梨汁四两　鲜椿根皮汁四两　米糖四两

【用法】　共为一处，分四次服。

【治验】　正村王洛益、黄台张洛砖等十余人患便血，均用此方治愈。

【出处】　无极县刘善昭（《十万金方》第六辑）。

【主治】　大便出血。

【方药】　当归五钱　熟地五钱　黑地榆三钱　木耳三钱

【用法】　水二碗煎一碗，空腹服。

【出处】　南靖县金山社保健院郑春池（《采风录》第一集）。

【主治】　大便下血，日久不愈。

【方药】　五倍子　苦参子　明矾　朱砂各三钱

【用法】 将上药共研细末，蜜为丸如绿豆大，用龙眼肉包，每服三钱空腹服。

【出处】 南靖县永溪保健院庄笃实（《采风录》第一集）。

【主治】 便血。

【方药】 椿白皮一两 槐花一两 元肉一两 红糖一两

【用法】 水煎服。

【出处】 刘守文（《河南省中医秘方验方汇编》）。

【主治】 大便下血。

【方药】 生姜四两 椿根白皮四两 绿豆芽四两 红糖四两

【制法】 水煎取汁，加入红糖。

【用法】 每次服两酒杯，每日二次。

【出处】 杞县刘乙善（《河南省中医秘方验方汇编》续一）。

【主治】 大便下血。

【方药】 椿根白皮四两 小枣四两 核桃仁四两 蜂蜜四两

【制法】 水煎。

【用法】 内服，两天服完。

【出处】 滑县宋丙合（《河南省中医秘方验方汇编》续一）。

【主治】 大便下血。

【方药】 熟地一两 当归一两 地榆炭三钱 木耳三钱

【用法】 煎服。

【出处】 宁乡中医（《湖南省中医单方验方》第二辑）。

【主治】 肠风下血。

【方药】 熟地炭八钱 槐角五钱 荆芥炭三钱 侧柏炭二钱

【用法】 煎服。

【出处】 隆回县中医阳端龙（《湖南省中医单方验方》第二辑）。

【主治】 肠风下血。

【方药】 桑寄生 瓦莲花 黄连 陈棕（烧灰）各等分

【制法】 研细末。

【用法】 每次二三钱，兑甜酒服，数剂即愈。

【出处】 邓俊生（《中医采风录》第一集）。

【主治】 肠风下血。

【方药】 二地各一两 地榆五钱 青耳子三钱

【制法】 水煎。

【用法】 内服。

【出处】 卿联生（《中医采风录》第一集）。

【主治】 大便下血。

【方药】 寄生散：桑寄生一两 槐花（炒）一两 地榆炭一两 三七末三钱

【用法】 共研细末，每服一钱，一日二次。

【出处】 西宁中医院马海如（《中医验方汇编》）。

【主治】 大便下血。

【方药】 槐花五钱 莲子一两 地榆五钱 猪肚一个

【制法】 将药放猪肚壁内，用线缝，放锅内煮熟。

【用法】 去渣食肉。

【出处】 孝感专署（《湖北验方集锦》第一集）。

【主治】 肠风下血。

【方药】 猪大肠半斤 地榆一两 槐树花一两 青盐少许

【制法】 同煎汤。

【用法】 内服。

【出处】 孝感专署（《湖北验方集锦》第一集）。

【主治】 大便前或大便后下血。

【方药】 瓦松五钱 地榆五钱 生地五钱 槐花五钱

【用法】 将药装入猪大肠内，煎服。

【出处】 郧西县（《湖北验方集锦》第一集）。

【主治】 近血、远血，经久不愈。

【方药】 地榆炭四钱 棕榈炭三钱 血余炭一钱 童便一盅

【制法】 前三味水煎，童便冲。

【用法】 内服。

【出处】 郧西县（《湖北验方集锦》第一集）。

【主治】 下血不止。

【方药】 荆芥炭二钱 当归三钱 玉竹三钱 丹皮二钱

【制法】 水煎。

【用法】　内服，连服二剂。

【出处】　大冶县（《湖北验方集锦》第一集）。

【主治】　便血。

【方药】　阿胶三钱　艾叶三钱　干姜炭二钱　灶心土一两

【制法】　水煎，去渣取汁，入阿胶烊化。

【用法】　服十剂而愈。

【出处】　沔阳县（《湖北验方集锦》第一集）。

【主治】　大便出血。

【方药】　熟地一两　当归一两　地榆三钱　木耳三钱

【用法】　水煎服三次。

【提示】　便前出血者治疗效果好。

【出处】　镇赉县赵集春（《吉林省中医验方秘方汇编》第三辑）。

【主治】　大便下血。

【方药】　鲜椿根皮（去老皮南墙下的）半斤　鲜梨一个　鲜姜二两　红糖一两

【用法】　水煎服。轻者一剂，重者四剂痊愈。

【出处】　安国城关镇医院李鹤鸣（《祁州中医验方集锦》第一辑）。

【主治】　便血。

【方药】　田中柭木叶三两　无花果　橙子核一两　白糖四两

【制法】　和猪肉半斤，炖溶去药渣。

【用法】　取汁内服。

【出处】　民间方（《中医采风录》第一集）。

【主治】　大便下血。

【方药】　旱莲草五钱　黄芩　地榆醋炒　槐角各四钱

【用法】　用水煎服。

【出处】　南充县青子俊（《四川省医方采风录》第一辑）。

【主治】　大便下血。

【方药】　银花四钱　蒲公英一两　荆芥穗三钱　赤石脂（研末，分数次冲服）五钱

【用法】　用水煎服。

【出处】　南充县吴淮清（《四川省医方采风录》第一辑）。

【主治】　大便下血。

【方药】　椿白皮　红花　灯心各三钱　细茶叶一钱　黑豆七粒

【制法】　黄酒和水各半煎服，服时加入白糖二钱。

【用法】　内服。

【出处】　石家庄市于振洋（《十万金方》第一辑）。

【主治】　大便下血。

【方药】　椿根白皮一把（约五六钱）　茶叶一撮（约一二钱）红糖少许　赤芍　甘草各半钱

【用法】　水煎饭前服。

【治验】　①本村秦清海，八岁便血屡治不效，后服此方二剂即愈。②司家庄，司机臣之田，患血痢数年，服此方数剂而愈。

【出处】　无极县秦着明（《十万金方》第六辑）。

【主治】　大肠下血。

【方药】　当归身（洗）五钱　川黄连五钱　椿根皮五钱　陆安茶五钱　好红糖三钱

【用法】　每日早午晚三次水煎服。

【禁忌】　忌气恼油腻。

【出处】　平滦县申广魁（《十万金方》第十二辑）。

【主治】　肠风下血，症见大便时鲜血注下，肛门毫无痛苦，腹部烧热消瘦，面色淡黄。

【方名】　地榆汤

【方药】　地榆炭（存性）五钱　槐花炭（存性）三钱　茅根炭（存性）三钱　肉豆蔻　诃子肉各二钱五分

【制法】　前三味药均宜存性，过焦则效力小，肉蔻、诃子用荞麦面裹好，放砂锅内煨熟，令荞麦面发黑色敲去面后，将药打碎同煎服。

【用法】　水煎服，日服两次，白水送下。

【出处】　定县李化南（《十万金方》第十二辑）。

【主治】　肠风下血。

【方药】　当归三钱　桑皮三钱　槐角三钱　升麻二钱　茶叶二钱

【用法】　早晚服一剂，数剂可愈。

【出处】　唐县魏甫荣（《十万金方》第十二辑）。

【主治】　先便后血。

【方药】　阿胶二钱　生地三钱　附子一钱五分　当归二钱
黑地榆二钱

【用法】　水一碗半煎至七分，去渣，冲阿胶温服。

【禁忌】　孕妇忌服。

【提示】　此方是治久病虚症，新病不宜。

【出处】　长泰县岩溪社张韶华（《采风录》第一集）。

【主治】　肠风下血。

【方药】　苍术炭　地榆炭　陈皮　厚朴　甘草

【用法】　冲开水炖服。连服数剂可愈。若有痔疮，应同
时到医院治疗。

【加减】　面黄湿重者，重用苍术；血黑者，重用地榆。

【出处】　建瓯县张兴起（《福建省中医验方》第三集）。

【主治】　直肠下血。

【方药】　百草霜五钱　黑侧柏三钱　黑军三钱　黑蒲黄三钱
黑苦参三钱

【制法】　共为细末，炼蜜为丸。

【用法】　每服三钱，开水送下，一日二次。

【出处】　陈子芹（《河南省中医秘方验方汇编》）。

【主治】 多年便血。

【方药】 白莱菔干二两 炒椿根皮二两 茶叶一两 红花一两 蜂糖四两

【制法】 水煎。

【用法】 分三次，冲蜂糖服。

【出处】 徐元祯（《河南省中医秘方验方汇编》）。

【主治】 便血。

【方药】 防风（酒炒）三钱 黄芩（酒炒）三钱 椿根白皮（酒炒）四钱 艾叶三钱 甘草一钱 小酒为引

【用法】 水煎服。

【出处】 刘振海（《河南省中医秘方验方汇编》）。

【主治】 便血。

【方药】 椿根皮 鲜公英 白莱菔 鲜藕 绿豆芽各四两

【制法】 共捣烂绞取汁，加白糖四两。

【用法】 内服。

【出处】 滑县陶协律（《河南省中医秘方验方汇编》续一）。

【主治】 大便前后下血，腹部及肛门不痛。

【方药】 槐角二两 蓖麻子（捣破）三十粒 鼠粘子五钱 棕榈皮五钱 大肠头（洗净）七八寸

【制法】 将药装入大肠内久炖，不放盐。

【用法】 去药渣，服肠汤及大肠头。

【治验】 曾治疗十多人，均有效，但不能根治，一二年又复发，继用本方又获效验。

【出处】 重庆市中医进修学校王协文（《四川省中医秘方验方》）。

【主治】 肠风下血。

【方药】 槐花三钱 侧柏（炒焦）二钱 黑芥三钱 枳壳一钱半 甘草一钱

【用法】 煎水，饭前服。

【出处】 江西崇义赖昌达（《中医名方汇编》）。

【主治】 肠风下血，日久泻痢不止。

【方药】 玉关丸：面粉四两 枯矾二两 五倍子二两 五味子一两 诃子肉二两

【用法】 共研细末，用热汤和面为丸，如桐子大，每服三十丸，开水送服。

【提示】 病轻者减半；小儿减半。小儿五岁服五丸，十岁服十丸。气短者用党参一钱为引，面热者用丹皮五分为引。

【出处】 西宁药材公司赵俊卿（《中医验方汇编》）。

【主治】 肠风下血。

【方药】 生地三钱 苦参五钱 防风一钱 焦地榆三钱 焦槐花三钱

【用法】 水煎服。

【出处】 西宁铁路医院辛虞生（《中医验方汇编》）。

【主治】　二便带血。

【方药】　生地一两　地榆三钱　花蕊石（煅）三钱　禹粮石二钱　生草一钱

【用法】　水煎服。

【出处】　陈治臣（《大荔县中医验方采风录》）。

【主治】　大肠下血。

【方药】　丹皮　水案板　藕节　苦参　仙茅各二钱

【制法】　加水三小碗，煎汤一小碗。

【用法】　内服。

【出处】　杨济中（《贵州民间方药集》增订本）。

【主治】　肠风下血（痔血亦可）。

【方药】　黄连二两　赤苓一两　白苓一两　槐花五钱　炒地榆五钱

【制法】　共为细末，炼蜜为丸，如梧子大。

【用法】　每日早晚各服三钱。

【出处】　孝感专署（《湖北验方集锦》第一集）。

【主治】　大便下血。

【方药】　椿皮四两　乌药三钱　香附三钱　油桂三钱　良姜三钱

【用法】　共为细面，每服三钱，白开水送服，每日早晚各服一次。孕妇忌服。

【出处】　农安县葛树棠（《吉林省中医验方秘方汇编》第三辑）。

【主治】 大便下血。

【方药】 椿皮五钱 地榆五钱 槐角五钱 元肉三钱 鸦胆子仁五分

【用法】 将前三味煎汤，冲服元肉包鸭胆子仁服下。孕妇忌服。

【加减】 如便浊血，肛门痛者，加黄芩三钱；便清血，肛门不痛者，加人参二钱，升麻五分。

【治验】 治疗十三例，均收疗效。

【出处】 长岭县赵支功（《吉林省中医验方秘方汇编》第三辑）。

【主治】 大便下血。

【方药】 椿皮二两 白芍三钱 当归三钱 黄连一钱五分 地榆一钱五分

【用法】 共为细面，每服二钱，白水服下，白糖为引。

【出处】 吉林省中医研究所李振鹭（《吉林省中医验方秘方汇编》第三辑）。

【主治】 肠风下血，中气下陷，日久不愈。

【方药】 赤参三钱 槐花三钱 椿皮一两 乌梅肉一钱 大枣十个

【用法】 水煎服三次。孕妇忌服。

【加减】 如有心中烦者，可在原方中加豆豉一钱五分

【出处】 农安县张洪涛（《吉林省中医验方秘方汇编》第三辑）。

【主治】 便血。

【方药】 黑荆芥一钱五分　苦参一钱五分　归身二钱　黄连一钱　莲蓬壳一个

【用法】 水煎服，重者四五剂必愈。

【出处】 西安市中医进修班李道洋（《中医验方秘方汇集》）。

【主治】 大便下血。

【方药】 赤小豆一两　黄芪四钱　地榆四钱　茅条三钱　川芎三钱

【制法】 水煎。

【用法】 内服。

【出处】 许开停（《中医采风录》第一集）。

【主治】 粪前后下血，大便不结燥者。

【方药】 乌梅三钱　僵蚕四钱　党参五钱　淡竹叶四钱　椿树皮六钱

【制法】 水煎。

【用法】 内服。

【出处】 梁既明（《中医采风录》第一集）。

【主治】 吐血、便血、衄血。

【方药】 阿胶（蒲黄炒成珠）　蒲黄炭　栀子炭　槐花炭　当归炭各等分

【用法】 研末，蜜丸，或米糊为丸如弹子大，开水送服。

【提示】 此方为清凉性止血炭剂，用于吐血、便血、衄血患者，有止血之效。

【出处】 邓学林（《成都市中医验方秘方集》第一集）。

【主治】 大便下血。

【方药】 天葵子二两 鸦胆子一两 岩豆藤根一两 牛奶子根一两 香樟树寄生二两

【用法】 炖猪肉吃。

【出处】 奉节县王兆熊（《四川省医方采风录》第一辑）。

【主治】 心脏性喘息，脉象沉小微弱。

【方药】 生山药六钱 生龙骨五钱 生牡蛎五钱 净萸肉五钱 柏子仁三钱 野党参三钱 苏子一钱半 炒牛子一钱半 生白芍三钱

【制法及用法】 水煎服，每日三四次，两日服完。

【禁忌】 辛辣、油腻。

【出处】 忻县王应祥（《山西省中医验方秘方汇集》第二辑）。

【主治】 便血

【方名】 解毒四物汤

【方药】 当归（酒洗）三钱 川芎二钱 白芍（酒炒）二钱 生地四钱 黄连（炒）三钱 黄芩（炒）三钱 黄柏（炒）二钱 地榆二钱 栀子（炒）二钱 槐花（炒）一钱 阿胶（炒）一钱半 侧柏叶（炒）一钱半

【加减】　如腹胀，加陈皮三钱；气虚，加力参二钱，白术二钱，木香二钱；肠风下血，加荆芥二钱；气虚下陷，加升麻二钱；心血不足，加茯苓二钱；虚寒，加黑姜钱半。

【用法】　水煎服

【出处】　平山韩廷杰（《十万金方》第一辑）。

【主治】　便血。

【方药】　椿皮（蜜炙）四两　槟榔四两　木香二钱　槐角二钱　杭芍二钱　南红花二钱　甘草二钱

【制法】　煎汤二次。

【用法】　早晚服之立效。

【出处】　张专涿鹿县杨隐之（《十万金方》第一辑）。

【主治】　大便下血，少腹痛。

【方名】　当归三炭汤

【方药】　当归四钱　白芍三钱　杜仲炭一钱半　地榆炭一钱半　赤苓三钱　川断一钱　生地炭（香油炸）二钱

【用法】　水煎，温服二三剂即愈。

【出处】　巨鹿县杜维栋（《十万金方》第六辑）。

【主治】　肠风下血（其症见大便出血，其色鲜红，肛门不肿痛。此与脏毒不同，脏毒的症状是肛肿硬疼痛，下血浊。肠风下血纯清不浊，不痛。二症易于区别，临床时宜先辨及）。

【方药】　全当归五钱　酒芍五钱　川黄连三钱　黄芩三钱　柴胡三钱　升麻一钱五分　荆芥炭三钱　地榆八钱　侧柏炭三钱

椿根皮八钱　槐花三钱　乌梅三钱　生甘草二钱　陈醋一斤

【用法】　水煎将成，兑入陈醋半斤（煎渣时再用半斤），煎服之。

【出处】　昌黎县张玉衡（《十万金方》第十二辑）。

【主治】　大肠便血。

【方药】　椿根炭二两　当归二钱　银花二钱半　地榆炭三钱　甘草二钱　红花二钱

【用法】　水煎服，三服愈。

【出处】　庞各庄李茂林（《祁州中医验方集锦》第一辑）。

【主治】　腹痛便血。

【方药】　石榴皮　梨　椿根白皮　白萝卜中各若干段　绿豆芽四两　红糖二两

【制法】　共捣为泥，白布包着拧汁，加上红糖，入碗内炖熟。

【用法】　徐徐服之。

【出处】　杜宗洛（《河南省中医秘方验方汇编》）。

【主治】　便血。

【方药】　椿白皮（炒黑）五钱　黑山楂五钱　黑乌梅四钱　黑地榆三钱　安花茶（毛尖亦可）二钱　大枣一两

【制法】　共研细末，枣肉为丸。

【用法】　每早晚各服一次，每次三钱。

【出处】　刘德元（《河南省中医秘方验方汇编》）。

【主治】 大便下血，面黄虚肿，日下鲜血数十次者。

【方药】 当归七钱　地榆炭六钱　绿豆芽半斤　椿根皮半斤　生姜四两　红糖半斤

【制法】 先将绿豆芽、椿根皮、生姜捣烂绞汁，和当归、地榆共放盆内，炖三炷香为度。

【用法】 上药汁每日服两次，分作三天服完，服时加糖。

【出处】 通许罗宗德（《河南省中医秘方验方汇编》续一）。

【主治】 便血。不论肠风下血，痔疮出血皆可用。

【方药】 五倍子（煅黑）　血余炭　益母草　陈藕节　乌梅肉各六钱　姜炭二钱

【用法】 共为细末，每次二钱，于饭前一小时用白开水送下。

【提示】 方中各药皆具收敛吸着作用，对便血有一定疗效。

【出处】 唐可赞（《成都市中医验方秘方集》第一集）。

【主治】 肠风下血。

【方药】 过路黄五钱　旱莲草五钱　侧柏叶三钱　地榆炭三钱　丝瓜根一两　漏芦根一两

【用法】 水煎服。

【提示】 此方过路黄清血热，旱莲草清肾热，侧柏凉血消风，地榆活血止血，丝瓜根清瘀热，漏芦根解毒，故对肠风下血之属于实证热证者有效。

【出处】　刘元福、刘吉明（《成都市中医验方秘方集》
第一集）。

【主治】　久年肠风下血。

【方药】　党参　当归各八钱　黄芪一两　光菇　毛菇各二钱
红刺苞谷一个

【制法】　炖猪直肠（一尺），去渣取汁。

【用法】　内服，连吃三剂即愈。

【出处】　谯宗泉（《中医采风录》第一集）。

【主治】　便后下血。

【方药】　生地四钱　白术三钱　附子一钱　贡胶二钱　甘草
一钱　地榆三钱

【制法】　灶心土半斤，澄水熬药。

【用法】　日四次分服。

【出处】　蒋明丕（《中医采风录》第一集）。

【主治】　急性肠炎，里急后重。

【方药】　黄连二钱　乌梅四钱　白芍三钱　玉片二钱　广木
香二钱　炙草一钱半

【制法及用法】　共研细末，炼蜜为丸，每丸二钱重。用
开水冲下，一日两次。

【提示】　以上剂量按成人拟定，小儿按年龄酌减。

【出处】　（《青海中医验方汇编》）。

【主治】 大便下血。

【方药】 川芎七钱 杭芍五钱 生地三钱 枳壳二钱 陈皮一钱 川连一钱

【用法】 木香一钱为引，水煎服。

【出处】 王慰初（《大荔县中医验方采风录》）。

【主治】 肠风下血。

【方药】 苦参五钱 诃子肉三钱 乌梅三钱 地榆三钱 槐花三钱 桔梗二钱

【制法】 以上除乌梅肉外，均焙干为末，再加乌梅捣烂，炼蜜为丸。

【用法】 每日二次，每次一钱，黄芪二钱泡水送服。

【出处】 沔阳县（《湖北验方集锦》第一集）。

【主治】 肠出血。

【方药】 椿皮四两 黑豆四两 蜂蜜四两 赤参三钱 莲须三钱 大枣七个

【用法】 水煎服三次。

【出处】 于远航（《吉林省中医验方秘方汇编》第三辑）。

【主治】 肠风下血。

【方药】 生山药五钱 生白芍五钱 花蕊石（煅）五钱 槐角四钱 甘草三钱 三七二钱

【用法】 共为细末，每服二钱，白水送服。

【出处】 海龙县马献图（《吉林省中医验方秘方汇编》

第三辑）。

【主治】 大便下血。

【方药】 槐花炭一两 樗皮炭二两 柏叶炭三钱 牡蛎（煅）三钱 酒芩二钱 荆芥炭二钱 阿胶一钱五分 枳壳一钱

【用法】 水煎服三次。孕妇忌服。

【出处】 邵宗仁（《吉林省中医验方秘方汇编》第三辑）。

【主治】 肠风下血。

【方药】 椿皮四两 麦芽四两 元肉二两 鸦胆子五钱 青瓢黑豆一把（适量）

【用法】 水煎服三次。

【出处】 榆树县曹瑛（《吉林省中医验方秘方汇编》第三辑）。

【主治】 肠风下血。

【方药】 椿皮炭四钱 陈皮四钱 腹皮四钱 青皮三钱 红糖五钱 红枣三个

【用法】 水煎服三次。

【出处】 长春中医学院马青山（《吉林省中医验方秘方汇编》第三辑）。

【主治】 大便下血。

【方药】 当归四钱 赤小豆四钱 黄连一钱 地榆五钱 槐花八钱 甘草一钱

【用法】　用水煎服。

【出处】　蓬安县中医学会（《四川省医方采风录》第一辑）。

【主治】　大便下血。

【方药】　当归四钱　赤小豆四钱　黄连一钱　地榆五钱　槐花八钱　甘草一钱

【用法】　用水煎服。

【出处】　蓬安县中医学会（《四川省医方采风录》第一辑）。

【主治】　肠风下血，或久痢不愈症。

【方药】　椿根皮（醋炒）四两　槐花三钱　防风三钱　熟地五钱　麻黄三钱　透骨草一钱　黄酒半斤　冰糖四两

【制法】　黄酒半斤，水二斤，煎汁半斤左右，纳入冰糖，全服下。

【用法】　水煎服。

【出处】　唐山市闫佐城（《十万金方》第十二辑）。

【主治】　尿血便血。

【方药】　生地一两　地榆炭五钱　白茅根二两　泽泻三钱　槐花三钱　乳香一钱　川膝三钱　甘草一钱半

【用法】　水煎服。

【注解】　大小便各有经络，而其证皆因膀胱之热。

【出处】　小店卢萝魁（《祁州中医验方集锦》第一辑）。

【主治】 大便粪后带血。

【方药】 生地二钱五分 槐角一钱 黄芩一钱 茯苓二钱 白芍二钱 地榆二钱 荆芥一钱 甘草五分

【用法】 水一碗半，煎八分为度，温服。

【出处】 海澄县方田社陈宗成（《采风录》第一集）。

【主治】 大便下血，不论便前便后。

【方药】 乌梅五钱 木香五钱 当归五钱 陈皮一钱五分 黑地榆一钱五分 黑川芎一钱 枳壳一钱五分 黑荆芥一钱 黑槐花一钱

【用法】 水适量煎服。

【禁忌】 孕妇忌服。

【出处】 长泰县岩溪保健院张韶华（《采风录》第一集）。

【主治】 大便下血，日久不愈。

【方药】 茯苓一钱五分 党参二钱 焦术一钱 当归一钱 炙芪一钱五分 黑地榆一钱 黑山栀一钱 赤石脂一钱五分 伏龙肝二钱五分

【用法】 水一碗八分，煎八分。日服一次，连服三剂痊愈。

【出处】 南靖县上游社游会如（《采风录》第一集）。

【主治】 便血。

【方药】 当归一两 酒芍一两 桃仁三钱 黑黄连三钱 通大海三钱 鸦胆子一钱 炙槐角三钱 椿树根皮（炒黑）三钱

【制法】　水煎服。

【禁忌】　孕妇忌服。

【出处】　王篪三（《河南省中医秘方验方汇编》）。

【主治】　便后下血。

【方药】　大生地三钱　黑地榆四钱　通大海三个　当归三钱
黑荆芥三钱　贝母三钱　黄芩三钱　甘草一钱　槐花二钱

【制法】　水煎。

【用法】　内服二剂可愈，如不愈加番茄叶五钱再服。

【出处】　洛专程少宗（《河南省中医秘方验方汇编》续
一）。

【主治】　大便下血。

【方药】　生地炭五钱　地榆炭一两　红花一钱五分　槐花
（槐米亦可）三钱　绿豆芽一把　白萝卜二两　椿根白皮三钱

【制法】　水煎。

【用法】　内服一二剂可愈。

【出处】　商水郑明俊（《河南省中医秘方验方汇编》续
二）。

【主治】　大便下血，色鲜而多，日久不愈，经检查非
痔疮。

【方药】　生地三钱　黄连二钱　黄精三钱　槐花四钱　连翘
三钱　银花三钱　乌梅二钱　炙草一钱　牙皂一钱

【用法】　水煎，分两次服。

【出处】　道县中医院内科医师陈清泉（《湖南省中医单

方验方》第二辑）。

【主治】 肠炎便血。

【症状】 大便一日数次下血，如腹泻状。

【方药】 焦地榆（醋炒）五钱 焦黄芩三钱 焦栀子三钱 生地四钱 茯神三钱 焦芥穗三钱 焦川连二钱 元肉四钱 焦术三钱 党参五钱 归身五钱 陈皮一钱 生芪五钱 升麻一钱 焦黄柏三钱 丹皮三钱 槐花四钱

【出处】 离山王保璪（《山西省中医验方秘方汇集》第三辑）。

【主治】 肠风下血，并可治内痔下血。

【方药】 薅秧包根二两 茜草根六钱 红子树根一两 蒲公英二两 槐花六钱 地榆一两 五花猪肉半斤

【用法】 加水炖后，去药渣，食猪肉及汤。

【出处】 重庆市中医进修学校黄克用（《四川省中医秘方验方》）。

【主治】 肠风下血。

【方药】 补中益气汤加槐花、黄连、荆芥花（干炒）

【制法】 水煎。

【用法】 内服。

【出处】 胡德重（《中医采风录》第一集）。

【主治】 便血。

【方药】 生地二钱 白芍二钱 地榆二钱 槐花一钱半 条

芩一钱半　乌梅二钱　黑荆芥一钱半　续断一钱半　生甘草一钱
大枣二枚

【用法】　水煎服。

【治验】　黄某某，女，五十六岁，大便下血，腰痛，经服二剂痊愈。

【提示】　本方具有凉血止血之功，可用于便血而无虚寒现象者。

【出处】　永新县烟阁联合诊所颜自荣（《锦方实验录》）。

【主治】　便血。

【方名】　黄土汤

【方药】　黄灶心土一两　白术二钱　阿胶二钱　炒干姜一钱
生地三钱　黄芩一钱八分　甘草一钱八分

【治验】　有一年老人患先便后血，经年不愈，面色萎黄，精神倦怠等症状，以此方连服四五剂痊愈。

【禁忌】　刺激性食物。

【出处】　波阳县皇冈卫协支会朱庆光（《江西省中医验方秘方集》第三集）。

【主治】　先便后血。

【方药】　白术三钱　结丐四钱　炙黄芪四钱　当归三钱　炙甘草五分　远志肉一钱半　茯神二钱　枣仁三钱　广香一钱半　地榆三钱　槐花炭三钱　仙鹤草三钱　龙眼肉十枚

【用法】　水煎两次，先后分服。

【出处】　李正人（《崇仁县中医座谈录》第一辑）。

【主治】　便血。

【方药】　当归二钱　炒槐花一钱半　粉甘草七分　防风一钱半　皂刺一钱　炒枳壳一钱半　炒柏叶一钱

【用法】　煎水，饭前服。

【出处】　江西崇义李甫忠（《中医名方汇编》）。

【主治】　便后带血。

【方药】　全当归三钱　川芎一钱半　生杭芍三钱　上地四钱　川连一钱半　黄柏二钱　条芩三钱　炒槐花一钱

【用法】　水煎服。

【出处】　民间验方（《大荔县中医验方采风录》）。

【主治】　大便下血。

【方药】　乌梅七个　甘草一两　青盐二钱　防风炭五钱　当归一两　黄花菜五钱　灶心土二两

【用法】　水煎空心服，三剂后见效。

【出处】　西安市中医进修班秦绍先（《中医验方秘方汇集》）。

【主治】　男女大便时，下血如箭，直滴不止。

【方药】　生地黄四钱　熟地黄四钱　川雅连一钱半　吉林参一钱半　盐黄柏二钱　白归身六钱　地榆炭四钱　防风二钱　槐花三钱　炙粉草三钱

【用法】　水煎服。

【出处】　西安市中医进修班孙仲远（《中医验方秘方汇集》）。

【主治】　肠风下血。

【方药】　阿胶珠（蒲黄炒）二钱　黄连一钱五分　黄芪二钱　干姜一钱半　当归二钱　党参二钱　冰糖五钱

【制法】　水煎。

【用法】　内服，二至四剂有效。

【出处】　孝感专署（《湖北验方集锦》第一集）。

【主治】　年久下血及肠风下血。

【方药】　生地八钱　白术五钱　酒芩四钱　阿胶三钱　乌梅四钱　姜虫三钱　黄土一块

【制法】　水煎。

【用法】　温服。

【出处】　郧西县（《湖北验方集锦》第一集）。

【主治】　大便前后下血，年久不愈者。

【方药】　白芍八钱　生地五钱　茯苓四钱　地榆三钱　粉丹三钱　泽泻四钱　荆芥炭一钱半　甘草三钱　椿根皮二两

【制法】　水煎。

【用法】　内服。

【出处】　郧西县（《湖北验方集锦》第一集）。

【主治】　肠风下血，久治不愈，大脉洪弦而滑又有力者。

【方药】　白头翁三钱　川黄连一钱　黄柏一钱半　秦皮二钱　当归五钱　阿胶六钱　甘草一钱

【制法】　水煎。

【用法】　内服。

【出处】　大冶县（《湖北验方集锦》第一集）。

【主治】　肠血下血。

【方药】　甘草二钱　生地二钱　白术二钱　附片二钱　阿胶二钱　黄芩二钱　灶心土六钱

【制法】　水煎，去渣取汁，入阿胶烊化。

【用法】　内服。

【出处】　沔阳县（《湖北验方集锦》第一集）。

【主治】　肠风下血。

【方药】　槐花　柏叶　白头翁各二钱　生地三钱　荆芥炭　枳壳　秦皮各一钱半　黑栀二钱　条芩一钱半　云苓三钱　升麻一钱　炒地榆一钱半　炙甘草一钱　茶叶

【制法】　水煎。

【用法】　内服。

【出处】　沔阳县（《湖北验方集锦》第一集）。

【主治】　肠风下血。

【方药】　黄芪三钱　生地三钱　地榆二钱　火麻仁一钱半　郁李仁一钱半　椿根皮三钱　川连炭八分　侧柏叶二钱　黄胶珠二钱　石榴皮炭三钱　莲房（炒焦）一个

【制法】　水煎。

【用法】　内服。

【出处】　沔阳县（《湖北验方集锦》第一集）。

【主治】 肠风下血。

【方药】 炙小皮三钱 北柴胡二钱 全当归二钱 苏蒲黄三钱 炙粉草一钱 炙台党四钱 杭白芍二钱 大生地三钱 淡大云三钱 桂圆肉三钱 净槐花三钱 切云苓三钱 樗根皮三钱 乌梅炭二钱

【制法】 水煎。

【用法】 内服。

【出处】 沔阳县（《湖北验方集锦》第一集）。

【主治】 便血。

【方药】 当归（炒）二钱 生地炭二钱 黄芩（炒）二钱 阿胶二钱 白芍（炒）二钱 地榆三钱 棕炭三钱 白术三钱 姜连一钱五分 荆芥炭一钱五分 升麻（蜜制）一钱五分 川芎一钱

【用法】 水煎服三次。

【治验】 便前或便后出鲜红血者，或因痔疾便血皆效。又治产后便血及妊娠期便血，并有安胎清热之功用。

【出处】 吉林市邓维滨（《吉林省中医验方秘方汇编》第三辑）。

【主治】 肠风下血。

【方药】 槐花三钱 地榆三钱 贡胶三钱 白芍二钱 海螵蛸二钱 侧柏叶三钱 五倍子（研）一钱 生地二钱 炙草一钱半 黄连二钱

【用法】 用水二茶杯，煎至一茶杯，清出去渣，饭前温服。隔三小时，渣再煎服。

【出处】 （《青海中医验方汇编》）。

【主治】　便后下血，久不愈者。

【方药】　刺猬皮一钱　当归三钱　川芎三钱　白芍三钱　生地　党参　白术　茯苓各三钱　甘草一钱

【制法】　水煎。

【用法】　内服。

【出处】　张济生（《中医采风录》第一集）。

【主治】　大便下血。

【方药】　升麻四钱　臭椿皮四钱　荆芥三钱　地榆四钱　生地四钱　卷柏三钱　萝卜子一钱　蒲黄一钱　槐花子三钱

【制法】　以上各药炒成黑色，但不要炒过性，研成细末，红糖做丸，如梧子大。

【用法】　每次服三至六钱，用开水送下。

【禁忌】　刺激性食物。

【出处】　南充市李先培（《四川省医方采风录》第一辑）。

【主治】　大便下血。

【方药】　刺猬皮　槐花　地榆　荆芥（炒黑）　火麻仁酒黄柏　黑炮姜　文蛤　黄芪　当归　白术　酒军　甘草（炙）各等分

【用法】　用水煎服。

【出处】　奉节县谢石臣（《四川省医方采风录》第一辑）。